Meinen Lesern

Heinz G. Konsalik

Heinz G. Konsalik, 1921 in Köln geboren, begann schon früh zu schreiben. Der Durchbruch kam 1958 mit der Veröffentlichung des Romans »Der Arzt von Stalingrad«. Konsalik, der erfolgreichste deutsche Autor der Gegenwart, hat mehr als hundert Bücher geschrieben, die in viele Sprachen übersetzt wurden. Die Weltauflage beträgt über sechzig Millionen Exemplare. Ein Dutzend Romane wurden verfilmt.

Außer dem vorliegenden Band sind von Heinz G. Konsalik als Goldmann-Taschenbücher erschienen:

Eine angesehene Familie. Roman (6538)
Der Fluch der grünen Steine. Roman (3721)
Das Geheimnis der sieben Palmen. Roman (3981)
Eine glückliche Ehe. Roman (3935)
Das Haus der verlorenen Herzen. Roman (6315)
Der Heiratsspezialist. Roman (6458)
Das Herz aus Eis / Die grünen Augen von Finchley.
Zwei Kriminalromane in einem Band (6664)
Ich gestehe. Roman (3536)
Im Zeichen des großen Bären. Roman (6892)
Ein Kreuz in Sibirien. Roman (6863)
Die Liebenden von Sotschi. Roman (6766)
Das Lied der schwarzen Berge. Roman (2889)
Manöver im Herbst. Roman (3653)
Ein Mensch wie du. Roman (2688)
Morgen ist ein neuer Tag. Roman (3517)
Schicksal aus zweiter Hand. Roman (3714)
Das Schloß der blauen Vögel. Roman (3511)
Die schöne Ärztin. Roman (3503)
Schwarzer Nerz auf zarter Haut. Roman (6847)
Die schweigenden Kanäle. Roman (2579)
Sie waren Zehn. Roman (6423)
Die strahlenden Hände. Roman (8614)
Die tödliche Heirat. Kriminalroman (3665)
Unternehmen Delphin. Roman (6616)
Verliebte Abenteuer. Heiterer Liebesroman (3925)
Wer sich nicht wehrt… Roman (8386)
Wie ein Hauch von Zauberblüten. Roman (6696)
Wilder Wein / Sommerliebe. Zwei Romane in einem Band (6370)

Stalingrad. Bilder vom Untergang der 6. Armee (3698)

Heinz G. Konsalik

Auch das Paradies wirft Schatten

Die Masken der Liebe

Zwei Romane

Originalausgabe

GOLDMANN VERLAG

Made in Germany · 11. Auflage · 4/87
Genehmigte Taschenbuchausgabe
© 1980 bei Autor und AVA Autoren- und Verlags-Agentur,
München/Breitbrunn
Umschlagentwurf: Atelier Adolf & Angelika Bachmann, München
Umschlagfoto: J. Ward/The Image Bank, New York
Satz: Mohndruck Graphische Betriebe GmbH, Gütersloh
Druck: Elsnerdruck, Berlin
Verlagsnummer: 3873
Lektorat: Putz/MV · Herstellung: Peter Papenbrok/Voi
ISBN 3-442-03873-1

Inhalt

Auch das Paradies wirft Schatten

Roman

Eingebettet in den im Sommer wohltuenden Schatten dichter, alter Eichenkronen lag das Herrenhaus von Gut Aarfeld. Das große hölzerne Tor neben einer niedrigen, moosbewachsenen Umfriedungsmauer, der weite, sorgsam geharkte Vorplatz, die gepflegte Anfahrtsstraße, die zwischen fruchtbaren Feldern und prächtigen Waldbeständen hindurchführte, die in Schuß gehaltenen Gesindehäuser, Ställe, Scheunen und Geräteschuppen verrieten eine strenge und ordnende Hand, einen Blick für Zucht und Zweckmäßigkeit und zugleich – wenn man sich den hübschen, kleinen Park hinter dem Herrenhaus besah – auch eine Neigung zur Romantik und Träumerei. Nicht nur der ganze erste, sondern auch der zweite und dritte Eindruck dieses alten Gutes, das man im weiten Umkreis nur »das Rittergut« nannte, waren wie Begegnungen mit einer längst verklungenen sorglosen Zeit, in welcher der Mensch noch Sinn für Schönheit und Besinnlichkeit, für ein gepflegtes Leben hatte.

An diesem Morgen des Spätherbstes stand auf dem weiten Vorplatz des Herrenhauses ein großer, schlanker Herr in Reithosen und einem grünen Lodenrock. Er hatte die Reitgerte unter die rechte Achsel geklemmt und ging unruhig auf und ab, dazwischen immer wieder auf die Uhr an seinem kräftigen Handgelenk blickend. Der mit einem echten Gamsbart geschmückte Jägerhut saß ein wenig aus der Stirn zurückgeschoben auf dem Kopf und gab dadurch den Blick frei auf einige blonde Locken, die vereinzelt von silbernen Fäden durchzogen waren.

Baron Pedro von Aarfeld runzelte unwillig die Stirn und strebte mit weit ausgreifenden Schritten der nächsten Scheune zu, aus der in den gleichen Sekunden beflissen ein kleiner, fuchsgesichtiger Mann herauskam, der seinen Herrn beobachtet hatte. Ein Knecht. In seine Augen trat, als der Baron sich ihm näherte, ein Zug von Unterwürfigkeit, wie er eben nur zu oft Leuten eigen ist, deren ganzes Leben darin besteht, anderen zu dienen. Der Baron liebte solche Servilität keineswegs, er wurde nicht müde, sein Personal dazu aufzufordern, ihm selbstbewußt und frei gegenüberzutreten, aber Erfolg hatte er damit nur bei einem: seinem Förster Peter Recke, der seinen Namen also gewissermaßen völlig zu Recht trug.

Pedro von Aarfeld hatte die Reitgerte in die Hand genommen und schlug nun mit ihr gegen den hohen Schaft seines rechten Stiefels, dessen weiches Leder dadurch wieder einmal zu einer unverdienten Mißhandlung kam.

»Paul«, sagte der Baron, und seine Stimme war sonor, ein wenig heiser, aber durchaus wohltönend, »stimmt meine Uhr? Ich hab' halb neun.«

Der Pferdeknecht zerrte eine alte, vernickelte Zwiebel aus seiner Weste. Nach einem verdutzten Blick stieg ihm Verlegenheitsröte ins Gesicht, und er blieb stumm.

»Paul, ich habe dich gefragt, wieviel Uhr du hast.«

»Fünf nach zwei, Herr Baron.«

»Was?«

»Fünf nach zwei, Herr Baron. Sie ist mir stehengeblieben. Ich bitte um Verzeihung.«

Aarfeld blickte den Pechvogel, der sein Unglück verfluchte, an, seufzte und sagte ironisch: »Ich verzeihe dir. Aber das nächste Mal lasse ich dich aufhängen.«

Dann wandte er sich ab und ging zurück zum Herrenhaus, aus dessen Tür ihm sein um zwei Jahre jüngerer Bruder Siegurd entgegentrat. Siegurd trug einen eleganten Maßanzug, der in Schnitt und Stoff den besten Schneider verriet, ein rohseidenes Hemd und Maßschuhe. Ein scharf ausrasiertes schwarzes Bärtchen schmückte seine etwas spöttisch gewölbte Oberlippe, was dem schmalen, aristokratischen Gesicht die Note einer ziemlich aufgetragenen Nonchalance verlieh.

»Ärger?« fragte er den Älteren und setzte sich auf das imposante schmiedeeiserne Geländer der Treppe, das ein Ahne im 16. Jahrhundert hatte anfertigen lassen. »Du machst ein ziemlich saures Gesicht, ich kenne dich doch. Was ist los?«

»Ich verstehe das nicht.«

»Was verstehst du nicht?«

»Ich erwarte Dr. Faber mit dem neuen Katalog. Er ist seit einer halben Stunde überfällig.«

»Na und? Er wird schon noch kommen.«

»Ich hasse Unpünktlichkeit. Außerdem muß ich um halb zehn in der Stadt sein. Man erwartet mich dort.«

»Dann kommst du eben erst später hin; davon wird die Welt nicht untergehen.«

Pedro musterte den Jüngeren mißbilligend und sagte scharf: »Typisch! Solche Standpunkte vertrittst du! Mich solltest du aber schon besser kennen!«

»Ja, sicher, du kommst mir vor wie einer, der eine Uhr verschluckt hat. Du lieber Himmel, exakt bis in die Knochen! Mach dich doch nicht lächerlich!«

»Hast du nicht den Eindruck«, sagte Pedro, der mit der Reitgerte wieder gegen den hohen Stiefelschaft schlug, »daß es für dich an der Zeit wäre, dich um die Kartoffelernte zu kümmern? Die Leute auf den Feldern müssen sehen, daß es hier *zwei* Aarfelds gibt.«

Siegurds Oppositionsgeist gegenüber seinem Bruder schlug um in Zorn. Sein Gesicht wirkte plötzlich steinern und kantig.

»Sonst noch Befehle, Don Pedro?«

»Ich befehle dir nicht, ich erinnere dich an deine Pflichten.«

»An meine Pflichten, ja. Das tust du doch dauernd. Ich kann das verdammte Wort schon nicht mehr hören. Du mußt mir damit nicht ständig in den Ohren liegen, daß du hier der Herr bist. Ich weiß, du erbst das Gut als Majorat, du verkörperst, wie man so schön sagt, das ›Familienoberhaupt‹. Was bin ich denn dagegen? Eine Null, ein Grünschnabel ohne Stimme, ohne Verantwortung. Ich sitze brav am Tischchen, esse meine Breichen und darf einmal im Jahr laut ein Wort sagen, nämlich ›danke schön‹, wenn ich meine testamentarisch festgelegte Jahresrente auf mein Konto überwiesen bekomme. Und du denkst, diese Rolle gefällt mir . . .«

»Jedenfalls«, unterbrach Pedro den zornigen Redefluß Siegurds, »gefällt dir die erwähnte Jahresrente, mit der du großzügig umzugehen weißt. Oder irre ich mich?«

»Hast du etwas dagegen? Es ist mein Geld, mit dem ich machen kann, was ich will.«

»Du wirfst es mit vollen Händen zum Fenster hinaus, das ist dir wichtiger als das Gut. Was mit dem geschieht, ist dir egal.«

»Nicht so ganz, das wirst du schon noch sehen.«

»Siegurd«, sagte Pedro versöhnlicher, um einzulenken, »mir geht's doch nicht um mich. Ich denke an Aarfeld. Du hast zumindest die Aufgabe, in Reserve zu stehen. Mir kann doch z. B. etwas zustoßen . . .«

»Was kann dir schon zustoßen?« unterbrach nun Siegurd seinen Bruder. »Ein Herzinfarkt? *Dir* nicht – bei deinem soliden Lebenswandel! Dann schon eher mir. Oder ein Autounfall? Auch nicht. Du reitest doch viel lieber in der Gegend herum, statt zu fahren, sieh dich doch an.« Ein Fingerzeig Siegurds auf Pedros Stiefel und Reitgerte unterstrich diese Worte.

Pedro gelang es, sich zu beherrschen. Er antwortete: »Na schön, dann will ich dich an etwas anderes erinnern. Du weißt, was ein Majorat ist, du hast ja selbst soeben schon davon gesprochen. Unser Vater hat mir als Älterem das Erbe zur Verwaltung übertragen. Das ist vielfach seit Generationen so üblich. Da es sich also um ein Majorat handelt, bin ich verpflichtet, spätestens bis zu meinem 35. Lebensjahr zu heiraten. Bis dahin sind's, wie dir bekannt sein dürfte, gerade noch zwölf Monate, und ich wüßte nicht, daß mir meine Verehelichung ins Haus stünde. Oder liegen dir andere Informationen vor?«

»Sicher«, entgegnete trocken Siegurd, auf den Pedros faustdicke Ironie keinerlei Wirkung ausübte.

»Wie bitte?«

»Du denkst, ich habe keine Augen im Kopf.«

»Keine Augen im Kopf?«

Pedros Überraschung, die nicht von schlechten Eltern war, ließ so rasch nicht nach. Sie äußerte sich darin, daß er verständnislos Siegurds Worte nachplapperte.

»Ich sehe euch beide doch turteln, Pedro.«

»Euch beide? Wen?«

»Dich und Mathilde.«

»Welche Mathilde?«

»Die lustige Witwe.«

Der Groschen fiel, Pedro stieß hervor: »Bist du verrückt? Freiin von Bahrenhof kommt sich unseren Heuwender leihen. Oder eine Zugmaschine samt Fahrer. Jede Woche etwas anderes. Du weißt doch, wie's bei ihr aussieht, seit ihr Mann tot ist. Wie kannst du nur so dumm daherreden?«

Absolut unbeeindruckt winkte Siegurd ab, grinste besserwisserisch, entnahm einem flachen, goldenen Zigarettenetui eine Zigarette und steckte sie mit einem Feuerzeug, ebenfalls aus Gold, in Brand, ohne daran zu denken, auch dem Bruder eine Zigarette anzubieten. Dicke Rauchwolken von sich blasend, erklärte er in herablassendem Ton: »Gib dir keine Mühe, mein Lieber. Ich habe dir gesagt, daß ich Augen im Kopf habe.«

Dann drehte er sich um und ging ins Haus. Pedro schien ihm folgen zu wollen, doch in diesem Augenblick wurde Motorenlärm laut, ein Auto bog in die Zufahrtsstraße ein und näherte sich dem großen Tor des Gutes. Von weitem schon hupte der Fahrer. Dr. Faber, langersehnt, war im Anmarsch.

Als er aus dem Wagen kletterte, eilte ihm Pedro von Aarfeld entgegen und begrüßte ihn mit festem Händedruck. Faber war ein Herr mittleren Alters, mit grauen Haaren und einer dünnen Goldbrille, an der er ständig zu rücken pflegte.

»Spät kommt Ihr, doch Ihr kommt«, meinte der Baron halb lächelnd, halb im Ernst. »In einer Viertelstunde muß ich weg, tut mir leid. Hatten Sie eine Panne?«

»Nein. Ich mußte erst noch meine neue Sekretärin mit dem Nötigsten vertraut machen: Fräulein Klett. Darf ich sie Ihnen vorstellen . . .«

Auf der Beifahrerseite war inzwischen eine junge Dame aus dem Auto geklettert, die mit interessierten Augen den Baron musterte und ihm übers Wagendach hinweg ein bißchen verlegen zunickte. Fabers Verstoß gegen den Buchstaben der Etikette schien ihr keine Magenschmerzen zu bereiten. Der Verstoß fand aber keine Gnade vor dem Baron, einem Kavalier der alten Schule, welcher sagte: »Doktor, Sie sollten nicht die junge Dame mir, sondern mich der jungen Dame vorstellen. Sie lassen mir sonst ein Übermaß an Ehre zukommen, auf das nur uralte Herren Anspruch haben mögen. Oder sehen Sie in mir schon einen solchen Greis? Dann schlage ich aber zurück und verlange Ihren Paß mit Ihrem Geburtsdatum.«

Alle drei lachten. Das Eis war gebrochen. Marianne Kletts republikanische Befangenheit altem, reichem Adel gegenüber wich. Pedro von Aarfeld ging um den Wagen herum und begrüßte auch sie mit Handschlag. Das rasche Urteil, das er sich im Inneren bildete, lautete: Klasse!

Auch alter Adel weiß sich heutzutage aus dem nicht immer vornehmen, aber meistens treffenden Wortschatz des Volkes zu bedienen.

Die Morgensonne warf einen milden Schein auf die kastanienbraunen Haare Mariannes, auf das vom Sommer noch gebräunte Gesicht mit den schmalen Lippen und den hellblauen Augen, auf die ganze schlanke Gestalt mit Beinen, für die sich in Pedros Innerem lautlos wieder nur ein Wort formte: Spitze!

Doch dann erschrak er über sich selbst, erinnerte sich, wer er war, welche Mühen seine ganzen Jugendjahre hindurch Vater und Mutter und unerbittliche Erzieher in zwei exklusiven Internaten auf seinen äußeren *und* inneren Schliff verwendet hatten.

Er bat Dr. Faber und dessen neue Errungenschaft, Fräulein Klett, ins Haus, ohne sich noch einmal eine geheime Entgleisung zu gestatten.

Marianne betrachtete alles mit aufmerksamen Augen. Der Baron führte sie und Dr. Faber in sein großes, mit dunkler Eiche getäfeltes Herrenzimmer. Tiefe Polstersessel, ein breiter Schreibtisch, mächtige, geschnitzte Schränke aus altersschwarzem Holz und eine Sammlung von kapitalen Hirsch- und Bockgeweihen an der Wand empfingen sie. Den glatten Parkettboden bedeckte ein großer Teppich mit Jagdmustern.

Pedro kümmerte sich nicht um Dr. Faber, der ein alter Freund des Hauses und mit allem vertraut war, sondern nur um Marianne, die er zu einem der Sessel führte, in dessen Tiefe sie fast versank. Faber stand schon am Schreibtisch, öffnete ohne Hemmungen den Deckel einer Zigarrenkiste und beroch genießerisch den Inhalt. Des Barons lange, helle Importen genossen einen weithin reichenden Ruf.

»Darf ich?« fragte Dr. Faber, zugleich in die Kiste greifend.

»Sie sind ja schon dran«, sagte lachend Pedro von Aarfeld.

Faber bediente sich, setzte die erwählte Zigarre in Brand und wedelte sie sich, ehe er sie so richtig zu rauchen begann, mit geschlossenen Augen vor der Nase herum. Dann schwand der träumerische Ausdruck aus seinem Gesicht und machte einem Zug des Bedauerns Platz, wobei er sagte: »Zunächst muß ich Ihnen eine Mitteilung machen, die Ihnen nicht so ganz gefallen wird, lieber Baron. Das ›schlafende Mädchen‹ hat nicht den ersten, sondern nur den dritten Preis erhalten. Die Jury muß sich aus Banausen zusammengesetzt haben.«

»Sagen Sie das nicht, Doktor. Ich finde den dritten Preis sogar noch außerordentlich überraschend.«

»Ich auch – aber nicht, wie Sie, in positiver, sondern in negativer Hinsicht.«

Dr. Faber war also nicht von seiner Ansicht abzubringen.

»Was ist mit meinem Lenbach?« wechselte Aarfeld das Thema.

»Ich verhandle noch mit dem Besitzer. Der Preis, den er für das Bild verlangt, ist mir entschieden zu hoch. Sie werden sehen, ich kann ihn noch drücken. Im übrigen muß ich Ihnen sagen, daß Sie in den Katalogen, die ich Ihnen mitgebracht habe, zwei oder drei Angebote finden werden, die Sie Ihren Lenbach vergessen lassen. Ich kenne Ihr Auge und Ihren Geschmack.«

Marianne Klett, die aus der Unterhaltung der beiden Männer ausgeschlossen war, nützte die Zeit und betrachtete verstohlen den Hausherrn. Sie hätte nicht sagen können, daß er ihr nicht gefiel. Irgendwelche aberwitzigen Gedanken verband sie damit freilich nicht.

Aarfeld erinnerte sich plötzlich der Anwesenheit einer Dame und offerierte ihr einen Aperitif. Marianne lehnte erschrocken ab. Alkohol zu so früher Stunde wäre ihr etwas völlig Ungewohntes gewesen. Daraufhin schlug Aarfeld einen kleinen Imbiß vor, mit dem er Anklang fand. Er begab sich sogar selbst in die Küche, um das Nötige zu veranlassen. Seinem Diener könne er nicht läuten, sagte er, da dieser zwei Tage Urlaub habe, um bei einer Behörde seines Heimatortes etwas zu erledigen.

Als Aarfeld den Raum verlassen hatte, blickte Marianne Klett ihren Chef zweifelnd an. Eine Frage lag in ihren Augen, eine Verwunderung, die ihm nicht entging, so daß er sagte: »Sie haben sich den Baron wohl anders vorgestellt, oder?«

»Zum . . . zum Teil schon«, antwortete sie zögernd.

»Wie denn?«

»Sie haben ihn mir als alten Hagestolz geschildert. Dabei ist er doch noch ein junger Mann . . .«

»Vierunddreißig.«

»Vierunddreißig?«

»Ja. Warum interessieren Sie sich so sehr dafür?«

Dr. Faber war ein hinterlistiger Mensch, der es liebte, andere in Verlegenheit zu bringen.

»Ich interessiere mich nicht dafür«, antwortete Marianne Klett, prompt über und über rot werdend. »Ich stelle nur fest, daß Ihre Personalbeschreibung ganz und gar nicht den Tatsachen entsprach.«

»So, finden Sie?« Dr. Faber klopfte mit dem Zeigefinger auf das Tischchen, das zwischen ihren Sesseln stand. »Ich sage Ihnen, der Baron *ist* ein alter Hagestolz; er *ist* eine Einsiedlernatur!«

»Danach sieht er aber überhaupt nicht aus.«

Heute nicht, dachte Dr. Faber, das ist richtig. Weiß der Teufel, warum. Ich kannte ihn bisher ganz anders. Ist vielleicht doch etwas dran an den Gerüchten, welche ihn mit dieser adligen Witwe, die in Nöten ist, in Verbindung bringen?

»Und deshalb«, hörte Faber seine Sekretärin sagen, »muß ich auch an der Beschreibung zweifeln, die Sie mir von seinem Bruder gaben.«

»Meinen Sie?«

»Ja.«

Wieder klopfte Fabers Zeigefinger. »Siegurd von Aarfeld *ist* ein Windhund, ein Schürzenjäger, *ist* ein Verschwender!«

»Leben die Eltern noch?«

»Nein. Die Mutter starb schon früh, der Vater, der alte Baron Hubertus, vor einigen Jahren. Er wurde auf der Jagd von einem Wilderer angeschossen und nahm trotz seiner Verwundung die Verfolgung des Verbrechers auf, bis er verblutend zusammenbrach.«

»Wie schrecklich! Haben Pedro und Siegurd noch Geschwister?«

»Nein.«

»Mich wundert der Name Pedro.«

»Der ist auch erstaunlich. Wie kommt, so fragten sich schon viele, in ein uraltes deutsches Adelsgeschlecht plötzlich ein spanischer Name? Nun, ich werde es Ihnen sagen, Sie würden es ja auf alle Fälle von irgendeiner Seite hören. Man munkelt, daß der alte Baron seinen erstgeborenen Sohn aus Spanien mitgebracht hat, als er einmal länger als ein Jahr zur Jagd in den Pyrenäen gewesen war. Er war eine Kraftnatur. Seine Frau zu Hause, die schon früh kränkelte, mußte solche Dinge über sich ergehen lassen. Die Geburt Siegurds war ihre letzte große Kraftanstrengung, danach welkte sie nur noch dahin.«

»Entsetzlich!«

»Wie dem auch sei, Pedro wurde Erbe des Majorats und muß sich, das steht im Testament, bis zum fünfunddreißigsten Lebensjahr, also in zwölf Monaten, verheiratet haben. Wenn nicht, fällt das Erbe Siegurd zu. Und das wäre sicher nicht gut. Das Groteske ist nämlich, daß der Halbspanier Pedro ein kerniger, erdverbundener deutscher Landadeliger ist, ein Gutsherr, wie er im Buche steht, während Siegurd in allem das glatte Gegenteil verkörpert. Über Aarfeld würden unter seiner Herrschaft bedrohliche Zeiten heraufziehen, daran zweifelt niemand, der Einsicht in die Dinge hat.«

»Aber es dürfte doch nicht schwer sein«, zwang sich Marianne zu sagen, »eine Frau, die hier gebraucht wird, zu finden.«

»Anscheinend doch, bisher jedenfalls. Wissen Sie, es ist eben so, daß es Pedro an den nötigen Aktivitäten fehlen läßt. Vielleicht wäre es ihm letzten Endes gar nicht so unangenehm, wenn er das Gut vom Hals hätte.«

»Was sagen Sie da? Einen solchen Besitz?«

Wenn anderen Menschen der Alkohol die Zunge löste, so erreichte dies bei Dr. Faber eine gute Zigarre, die ein außerordentliches Maß an Zufriedenheit mit allem in ihm hervorrief und ihn dadurch zum redseligen, mitteilsamen Menschen machte.

»Pedro von Aarfeld«, sagte er, »hat ein Geheimnis, das nur ganz wenige kennen: Er malt; und er malt gut. Seine Bilder, die er mit dem Namen Ralf Torren signiert, finden steigenden Absatz. Ich verkaufe Sie, ich manage ihn überhaupt. Ich sage Ihnen das, weil Sie meine neue Sekretärin sind und Sie es früher oder später ohnehin erfahren müßten. Sie haben aber darüber zu schweigen, verstanden? Der Baron wünscht das. Sie hörten vorhin, daß von einem ›schlafenden Mädchen‹ gesprochen wurde. Es handelt sich da um ein Gemälde Pedros, das ich zur Kunstausstellung schickte. Es wurde prämiiert – meiner Ansicht nach zu gering; wie der Baron selbst darüber denkt, vernahmen Sie. Alles schön und gut, aber mir macht seine Leidenschaft zum Pinsel, aus der ich geschäftlichen Profit ziehe, auch Sorgen. Die Kunst ersetzt ihm nämlich alles. Am Tage schuftet er auf dem Gut, wirtschaftet heraus, was nur herauszuholen ist – aber am Abend, in letzter Zeit manchmal auch schon nachmittags, ist er plötzlich auf Stunden verschwunden und verkriecht sich in sein unbekanntes, geheimnisvolles Atelier, von dem niemand weiß, wo er es hat, und malt . . . malt. Dabei vergißt er, daß sein entscheidender Geburtstag heranrückt, daß sein Bruder Siegurd auf diesen Moment nur wartet, vergißt er die ganze Welt, die Frauen, das Gut, alles . . . und malt. Ich weiß nicht, wie man ihn davon abbringen, zumindest bremsen könnte. Mich lockt ja auch der Profit, den ich erwähnte. Ich gebe das zu. Es ist also so, daß ich gewissermaßen zwischen zwei Feuern stehe, verstehen Sie mich?«

Marianne Klett hatte gebannt dem langen Redefluß ihres Chefs gelauscht, ohne ihn auch nur ein einziges Mal zu unterbrechen. Nun meinte sie: »Bremsen Sie ihn, indem Sie ihm nicht mehr jedes Bild abnehmen. Sagen Sie ihm, daß er schlechter würde, daß er Pausen haben müßte. Vielleicht verliert er dann den Mut, resigniert er von selbst.«

Dr. Faber mußte schallend lachen.

»Den Mut verlieren, resignieren – Fräulein Klett, das sind Fremdworte für einen Aarfeld. Denken Sie an den alten Baron Hubertus. Angeschossen noch dem Wilderer nach bis zum Verbluten – *das* ist Aarfeld-Art! Selbst dem Windhund Siegurd würde ich in einer solchen Situation noch manches zutrauen. Wir dürfen . . .«

Dr. Faber brach ab und blickte zur Tür, da sich dieser von draußen Schritte näherten. Er legte den Finger auf den Mund.

Der Hausherr kam zurück und entschuldigte sich, daß es so lange gedauert habe. Ein Telefongespräch habe er auch noch führen müssen, erklärte er. In seinem Gefolge wurden zwei Küchenmädchen sichtbar, die beladen waren mit dem angekündigten Imbiß. Daß dieser nicht in wenigen Minuten zu bewältigen war, konnte jeder mit einem Blick erkennen. Die Tabletts in den Händen der Mädchen bogen sich.

»Sagten Sie nicht«, wunderte sich Dr. Faber, »daß Sie in einer Viertelstunde weg müßten, Baron?«

»Warum, glauben Sie, mußte ich telefonieren, Doktor?« fragte Pedro, und er setzte selbst hinzu: »Weil ich abgesagt habe.«

Dabei blickte er aber nicht Faber an, sondern Marianne Klett.

Siegurd von Aarfeld hatte Besuch. Auf der breiten Armlehne des Fauteuils, in dem er saß, hockte mit der einen Hälfte ihres absolut leckeren Hinterteils eine zierliche, flinke und außergewöhnlich hübsche Blondine und wippte ausdauernd mit einem Bein, so daß davon der Rock höher und höher rutschte. Ihre mandelförmigen Augen unter den weit geschwungenen Brauen glänzten, als sie jetzt dem jungen Baron mit zärtlichen Fingern über die Locken strich.

»Glaubst du denn«, sagte sie leise, »daß Pedro wirklich so dumm ist, nicht rechtzeitig zu heiraten? Lieber nimmt er doch die erstbeste, nur um das Gut nicht an dich zu verlieren.«

Siegurd schien unwillig zu sein. Er griff nach ihrer Hand, nahm sie sich vom Kopf, blickte ihr eine Weile in die Augen, schüttelte schließlich den Kopf und stieß hervor: »Ich verstehe dich nicht, Mathilde.«

»Was verstehst du nicht?«

»Ich dachte, *du* bist schon dran, dir mein Bruderherz zu angeln.«

»Ich?«

»Das habe ich sogar ihm selbst auch schon gesagt. Anscheinend doch ein Irrtum von mir.«

Mathilde von Bahrenhof war wirklich überrascht, auch ein bißchen empört über Siegurds Äußerung.

»Aber *wir* beide haben doch ein Verhältnis miteinander!« rief sie mit unterdrückter Stimme.

»Na und? Daran soll sich ja auch nichts ändern.«

»Wenn sich daran nichts ändern soll, kannst du mich auch nicht auf deinen Bruder hetzen.«

»Warum nicht?« Der Zyniker Siegurd ließ die Maske fallen. »Reizt dich das Gut nicht?«

»Doch, das würde mich schon reizen, aber . . .«

»Über mich kriegst du's nicht, nur über ihn!«

»Aber dann müßte ich ihn ja heiraten.«

»Davon rede ich doch schon die ganze Zeit.«

Das ging ihr durch und durch. Wie gelähmt hörte sie auf, mit dem Bein zu wippen.

»Und wir beide?« fragte sie ihn aufgeregt. »Was soll mit uns werden?«

»Wie oft soll ich dir das noch sagen?« antwortete er. »Zwischen uns beiden bleibt alles beim alten.« Und grinsend setzte er hinzu: »Was glaubst du, wie viele Schwägerinnen mit ihren Schwagern schlafen?«

Der edle Herr Siegurd von Aarfeld gedachte natürlich, auf diese Weise nicht nur auf unabsehbare Zeit am Bett der edlen Freiin von Bahrenhof zu partizipieren, sondern auch am Gut Aarfeld. Mathilde sollte sehen, dieses in die Hand zu kriegen, und sollte dann davon abzweigen, was immer abzuzweigen war. Für ihren Geliebten, den Herrn Siegurd von Aarfeld.

Noch schien die Dame zu schwanken, aber sie hatte schon Blut gerochen. Es bedurfte nur noch einiger kleiner Anstöße.

»Du kennst deine Situation«, sagte Siegurd.

Sie nickte.

»Dir droht die Versteigerung.«

Abermaliges, angewidertes Nicken.

»Welcher Rettungsgürtel bietet sich dir, außer dieser Heirat?«

Darüber mußte Mathilde keine Sekunde mehr nachdenken, das wußte sie. Die Tür keiner einzigen Bank stand ihr mehr offen. Sie war also reif. Sie erschrak deshalb nun sogar, als ihr plötzlich eine neue Gefahr bewußt wurde, die noch einmal alles zunichte machen konnte, und stieß hervor: »Aber wenn er mich nicht haben will . . .?«

Siegurd richtete sich etwas in seinem Sessel auf, legte den Arm um Mathildes Hinterteil, strich kennerisch darüber und ließ Erinnerungen in sich aufleben.

»Das«, sagte er nach einem Weilchen, »hängt nur von dir ab. Du mußt lediglich zusehen, ihn zum ersten Mal ins Bett zu kriegen, dann gehört er dir mit Haut und Haaren.«

Mir kommt's ja darauf an, dachte er bei sich, mit allen Mitteln zu verhindern, daß dieser spanische Bastard irgendeine andere heiratet. Sollte er gar keine heiraten, um so besser. Dann würde das Testament in Funktion treten.

Die Erinnerungen, die in Siegurd wach geworden waren, wollten aufgefrischt werden.

»Komm, mein Schatz«, sagte er zu Mathilde, nahm sie an der Hand und führte sie in sein Schlafzimmer, in das sie ihm nur allzu willig folgte.

Wenige Tage später fand eine »zufällige« Begegnung statt. Dr. Faber hatte sich mit seiner Sekretärin wieder bei Pedro von Aarfeld zu einer Besprechung eingefunden und wurde, als diese zu Ende war, vom Baron hinausgeleitet. Als die drei die Freitreppe des Herrenhauses hinuntergingen, spielte der erwähnte »Zufall«: Aus dem Schatten der Eichen traten zwei Gestalten und kamen dem Trio entgegen.

Pedro übernahm die Aufgabe der gegenseitigen Vorstellung, die nötig wurde. Auf diese Weise lernte Marianne Klett die Freiin Mathilde von Bahrenhof und ihren Freund, Siegurd von Aarenfeld, kennen. Um diese beiden handelte es sich nämlich.

Die üblichen Floskeln wurden gewechselt, dann zögerte Siegurd nicht mehr, in seiner forschen Art und Unbekümmertheit des Lebemannes sein Ziel anzusteuern.

»Die Herrschaften sind wohl gerade dabei, nach Boltenberge zurückzufahren?«

»Ja«, nickte Dr. Faber.

»Nehmen Sie mich mit? Ich müßte zu meinem Goldschmied.«

»Natürlich.«

»Danke, dann hole ich nur noch rasch meinen Mantel.«

Siegurd sprang in sportlichen Sätzen die Stufen empor und verschwand im Haus.

Mathilde von Bahrenhof lächelte.

»Wie elastisch die Männer werden, wenn wir Frauen ihnen zusehen«, sagte sie leise zu Marianne Klett, und der Spott glänzte in ihren Augen. »Der eine springt wie ein Heuhüpfer, der andere zeigt mir, wie man im Morgengrauen einen Rehbock schießt.«

Ihr Blick wanderte dabei zu Pedro von Aarenfeld, der mit Dr. Faber ein paar Schritte vorausgegangen war und schon bei dessen Wagen stand.

»Dabei muß man wohl nicht besonders elastisch sein«, sagte Marianne.

»Wobei?«

»Beim Rehbockschießen. Höchstens der Finger am Abzug.«

Das war deutlich und wurde von Mathilde auch richtig verstanden.

»Vergessen Sie nicht das Anschleichen. Aber Sie lieben die Jagd wohl nicht?« sagte sie.

»Soviel ich weiß, werden Rehe vom Hochsitz aus, dem sie sich arglos nähern, geschossen.«

»Nicht alle.«

»Aber die meisten.«

Mathilde von Bahrendorf verstummte. Wie komme ich dazu, dachte sie, mit dieser Person hier, diesem kleinen Mädchen herumzudebattieren? Dessen ist doch die gar nicht würdig.

Was habe ich denn? fragte sich im stillen Marianne Klett. Wieso rege ich mich über Dinge auf, die mich bisher überhaupt nicht interessiert haben? Jede Art von Jagd war und ist mir doch egal. Und dann entdeckte sie in sich den Grund ihres Unmuts: diese hochnäsige Person da, der auch noch das Morgengrauen dazu verhalf, ihre Hand nach einem netten Mann auszustrecken.

»Pedro«, sagte die Freiin von Bahrenhof beim Auto zum Baron, »wollten Sie nicht Herrn Dr. Faber bald einmal zur Jagd einladen?«

»Ja, woher wissen Sie das?«

»Von Siegurd.«

»Und warum interessieren Sie sich dafür?«

»Weil ich Ihnen einen Tip geben möchte: Kommen Sie nur ja nicht auf die Idee, die Einladung auch auf Fräulein Klett auszudehnen.«

Pedro war verblüfft. »Wieso nicht?«

Die Idee war ihm fremd gewesen, aber nun erschien sie ihm plötzlich gar nicht so schlecht.

»Weil Sie es sich bei ihr völlig verscherzen würden«, sagte die Freiin spöttisch. »Fräulein Klett haßt das Totschießen unschuldiger Tiere – wie so viele, die keine Ahnung davon haben.«

Der Baron wandte sich an Marianne: »Stimmt das?«

Sie nahm Zuflucht zu einer Redensart: »Ich kenne wohl die Materie zu wenig.«

»Das läßt sich ändern«, erklärte kurzentschlossen Pedro von Aarenfeld, »indem ich die Einladung in der Tat auch auf Sie ausdehne. Frau von Bahrenhof hat mich da auf eine ausgezeichnete Möglichkeit aufmerksam gemacht.«

»Ich danke Ihnen dafür, Mathilde«, sagte er zu dieser selbst, ohne dabei auf eine kleine, ironische Verbeugung zu vergessen.

Der Freiin Nasenflügel zitterten leicht.

Marianne Klett hingegen reagierte mit einem netten, an Pedro adressierten Augenaufschlag, der ihr ganz gut gelungen zu sein schien, denn Mathilde preßte nun auch noch die Lippen aufeinander. Marianne, der das nicht entging, stieg mit einem lieblichen Lächeln in den Wagen. In jeder Frau wohnt ein kleiner Teufel, hat einmal ein Philosoph gesagt. Der Mann kannte das zarte Geschlecht.

»Ich darf also mit Ihnen rechnen?« sagte Pedro zu Marianne. Er hatte ihr die Autotür geöffnet und hielt diese noch in der Hand, um ins Wageninnere hineinsprechen zu können.

Marianne nickte lächelnd. »Ich freue mich«, erwiderte sie. »Ich liebe die Natur«, setzte sie hinzu. »Das Erwachen eines Waldes soll das Schönste sein, was es überhaupt gibt. Ich kenne es bisher noch nicht.«

»Schicksal aller Langschläferinnen«, warf trocken Dr. Faber ein, der mit solcher Lyrik wenig anzufangen wußte.

Siegurd kam die Treppe herabgelaufen, küßte Mathilde elegant die Hand und kletterte wie selbstverständlich zu Marianne hinten in den Wagen. Auch dies empfand Mathilde als kleinen Nackenschlag; es machte dem soeben erfolgten Handkuß einige Abstriche.

Dr. Faber fuhr an, Pedro winkte, Mathilde nicht. Nachdem der Wagen verschwunden war, wandte sich Pedro um und blickte in die lockenden Augen seiner schönen Gutsnachbarin. Attraktiv und begehrenswert war sie ja, das konnte sich so schnell nicht ändern. Sie hatte sich nun, da das Terrain von Konkurrenz geräumt war, wieder völlig in der Hand und war willens, sämtliche Minen springen zu lassen.

»Pedro«, sagte sie, »was machen wir jetzt?«

»Ich muß nach Niederstadt.«

Der Fluchtversuch mißlang.

»Ich auch«, sagte sie prompt. »Wir können den Weg zusammen machen. Oder haben Sie etwas dagegen?«

Das war natürlich nicht gut möglich. Er schüttelte den Kopf, zum Zeichen dafür, daß er nichts dagegen hätte.

Er wollte hinüber zu den Stallungen, um seinen Jagdwagen, mit den er immer in die nahe Kleinstadt zu fahren pflegte, einspannen zu lassen. Aber Mathilde von Bahrenhof hielt ihn an der Jacke fest.

»Kommen Sie doch mit zu mir hinüber«, meinte sie leichthin. »Ich möchte mich noch umziehen, und wir können ja auch meinen Wagen nehmen. Das kurze Stück zu mir, der kleine Spaziergang durch den Herbstwald ist meine schönste Erholung.«

Erholung, dachte Pedro und mußte im Inneren lächeln. Wovon mußt du dich schon erholen? Von der Anstrengung des Nichtstuns, von den Strapazen deiner Gesellschaften oder vom Kummer der bevorstehenden Pleite deines Gutshofes?

Es war ja kein Geheimnis mehr, daß der Besitz über und über verschuldet war, daß nicht ein Dachziegel mehr der Baronin gehörte, daß es ihr nur die Geduld der Gläubiger und zwei unkündbare Hypotheken noch erlaubten, das Gut ihr Heim zu nennen. Wie lange noch?

Die beiden gingen hinaus aus dem Tor. Nach einem kurzen Stück begann schon der Wald, der zum größten Teil aus hellen, schlanken Birken bestand.

Es war still. Nur die Füße der beiden raschelten in dem trockenen Laub, das den Boden bedeckte. Einige aufgescheuchte Krähen, die sich nach ihrem Frühstück von den Feldern in die Baumkronen geflüchtet hatten, um der Verdauung zu obliegen, flatterten mit klatschenden Flügelschlägen auf und zogen weite Kreise am Himmel.

Mathilde blickte von der Seite öfters zu ihrem Begleiter hinüber und gestand sich ein, daß er ein gutaussehender und vor allem kraftvoller Mann war. Letzteres fand besonderen Anklang bei ihr, hatte sie doch immer auch die Ansprüche vor Augen, die sie im Bett an einen Partner zu stellen pflegte.

Siegurd, dachte sie, soll sich nicht unbedingt die Hoffnung machen, daß er ein für allemal die Nr. 1 für mich bleibt.

Beruhigend erschien ihr, was Siegurd von Pedro erzählte: daß dieser oft nächtelang vom Haus fort sei, daß niemand wüßte, wo er sich rumtreiben würde, daß er einen Hang zu romantischen

Träumereien und Künstlerlaunen zeige.

Ich werde das alles in den Griff bekommen, dachte sie.

Pedro schritt schweigend dahin.

»Wollen Sie wirklich die kleine Sekretärin zur Jagd einladen?« fragte sie ihn, um die lastende Stille zu unterbrechen. Sie konnte von ihrem dummen Hochmut nicht lassen.

Pedro fuhr beim Klang ihrer Stimme zusammen. Zornig fühlte sie, daß er sie schon eine ganze Weile vergessen hatte und erst jetzt, als sie sprach, wieder an ihre Anwesenheit erinnert wurde. An was – oder wen – dachte er?

Die Antwort, die er ihr gab, war kühl. »Warum soll ich sie nicht einladen?«

»Sie weiß sich doch nicht richtig zu verhalten. Sie würde Ihnen das ganze Wild vergrämen.«

»Hauptsache, es macht ihr Spaß.«

Mathilde von Bahrenhof glaubte nicht recht zu hören. Hauptsache, es macht ihr Spaß? Ein Jäger sagte dies? Ihm das Wild zu vertreiben?

Wenn ein Jäger dies sagte, war höchste Gefahr im Verzuge, wobei es durchaus sein konnte, daß ihm selbst das noch gar nicht so recht bewußt war. Jedenfalls erkannte Mathilde von Bahrenhof, daß sie keine Stunde mehr versäumen durfte.

Der Gedanke daran, was sich da offensichtlich schon angebahnt hatte, raubte ihr schier den Atem.

Sie hatten den Birkenwald durchschritten und kamen nun an einem Fischteich vorbei, an dessen gegenüberliegendem Ufer sich das Herrenhaus vom Gut Bahrenhof erstreckte. Trauerweiden ließen ihre langen Zweige in das stille Wasser hängen, und eine Gruppe von Schwänen zog über den Teich.

So sehr sich Mathilde von Bahrenhof auch darum bemühte, Pedro dazu zu bewegen, mit in das Haus zu kommen, es glückte ihr nicht. Er bat, am Teich auf sie warten zu dürfen, da er den

Schwänen zusehen wolle. Er gehörte von jeher zu den Bewunderern der unnachahmlichen Majestät und Würde, mit der diese Vögel durch das Wasser ziehen.

Der Romantiker, dachte Mathilde und eilte, um sich nicht zu versäumen, mit schnellen Schritten ins Haus. Pedro, ein Mann, ließ Schwäne Schwäne sein und blickte ihr nach, würdigte in Gedanken durchaus ihre schlanke, biegsame Gestalt, die langen, blonden Locken, den wippenden, koketten Gang, den gekonnten, wirkungsvollen Schwung ihrer Hüften – letzteren besonders.

Pedros Nachbarin war eine schöne Frau, da biß die Maus keinen Faden ab. Wörtlich ging ihm dieser Gedanke, dem es an Adel wieder einmal gebrach, durch den Kopf.

Es dauerte nicht lange, und Mathilde kam zurück. Sie trug ein hellgraues Kammgarnkostüm mit einem engen Rock, der wieder ihre Hüften ganz besonders zur Geltung brachte. Daß es den Beinen nicht an Fähigkeit, Begeisterung zu erregen, fehlte, war Pedro auch nichts Neues. Um den Nacken lag ein breiter Silberfuchs. Auf dem Kopf saß ein modisches Hütchen, dessen Krempe rundherum mit einem französischen Schleier drapiert war.

Zugleich mit Mathilde erschien ein schwerer Tourenwagen, der die nahe Garage verlassen hatte. Der Mann, der ihn fuhr, hielt ihn vor Pedro an, stieg aus, zog grüßend die Mütze und übergab mit einer demonstrativen Geste Pedro das Steuer. Dazu hatte er von seiner Herrin Anweisung erhalten. Er war zwar der Chauffeur, aber er wurde nicht mehr gebraucht.

»Sie wagen es wirklich, sich mir anzuvertrauen?« sagte der Baron zu Mathilde. »Wissen Sie, was für ein Fahrer ich bin?«

Sie kletterte lachend auf den Sitz neben dem Steuer und erwiderte zweideutig: »Wenn es einen Mann gibt, der eine Frau nicht in Gefahr bringt, dann sind Sie es.«

Eine glatte Herausforderung.

Eine Herausforderung aber, deren Wirkung verpuffte. Pedro schwieg. Er blickte geradeaus auf die Straße vor sich, die sich wie ein elastisches Band durch Wälder und Felder wand und seine ganze Aufmerksamkeit in Anspruch zu nehmen schien. Die Chaussee nach Niederstadt bestand aus zwei Teilen, einem guten und einem schlechteren. Pedro stellte mit der rechten Hand das Radio an und kam dabei ungewollt mit Mathildes Knie in Berührung.

»Verzeihung.«

»Keine Ursache.« Dies sagte Mathilde nicht nur so hin, sondern damit meinte sie wirklich und wahrhaftig, was sie sagte.

Pedro war aber eine harte Nuß. Mehr und mehr schälte sich heraus, daß das Schicksal Mathilde zu Hilfe kommen mußte, und es schickte sich dazu auch schon an.

Die Natur zeigte sich von ihrer besten Seite, das Wetter auch. Mathilde blickte aus dem Seitenfenster und sagte, Pedros Hang zur Romantik im Sinn, überschwenglich: »Wie herrlich die Sonne auf die Fluren scheint! Es muß ein wunderbares Gefühl sein, das alles sein eigen nennen zu können.«

»Man hat auch viel Arbeit«, schränkte Pedro ein, »das Ganze muß nicht nur erhalten, es soll auch noch vergrößert werden. Stillstand heißt Rückschritt, lautet ein ehernes Gesetz unseres Wirtschaftssystems.«

Es konnte gar nicht anders sein, als daß Mathilde sich betroffen fühlte und sagte: »Das geht eben über die Kräfte einer schwachen Frau.«

»Man muß sich auch als Mann anstrengen.«

»Sie schaffen das in bewunderungswürdiger Weise.«

»Es gibt auch geradezu unverständliche Verpflichtungen, die damit verbunden sind. Ich . . .«

Er brach brüsk ab. Er ärgerte sich über sich selbst, da er ums Haar ein Thema angeschnitten hätte, das andere nichts anging.

Das Majorat, dachte zutreffenderweise Mathilde, er meint das Majorat. Und sie nutzte die Gelegenheit, zum Kern vorzustoßen, indem sie sagte: »Ist es denn gar so schwer, eine passende Frau zu finden?«

Keine Antwort.

»Das ist es doch, was Sie bedrückt, Pedro?«

Er schwieg verbissen.

»Oder wollen Sie darüber nicht reden?«

»Nein.«

Der schlechtere Teil der Straße begann. Schlaglöcher und Bodenwellen rüttelten den Wagen durch. Pedro fuhr langsam, und das sollte sich als Segen erweisen. Mathilde legte sich in ihrem Sitz zurück und schlug die schlanken Beine übereinander, das rechte über das linke, und nicht umgekehrt. Das Resultat war geradezu zwangsläufig: Ihr rechter Fuß, der frei in der Luft hing, paßte sich den Schlaglöchern an, wippte in deren Rhythmus und stellte dabei jedesmal den Kontakt mit dem rechten Bein Pedros her.

Wieder aber blieben die Früchte aus, die Mathilde damit wenigstens im Ansatz zu ernten hoffte. Pedro reagierte nicht. Sein Bein blieb ausschließlich damit beschäftigt, Gas zu geben, wegzunehmen, zu geben, wegzunehmen, zu geben . . .

Ein sturer Bock, dachte Mathilde. Und vom Bock war der gedankliche Sprung nicht weit zum Stier, den bei den Hörnern zu packen sie sich entschloß.

»Diese Klett«, sagte sie, »hat ein Auge auf Sie geworfen, Pedro.«

»Was?«

»Die Klett, Fabers neue Sekretärin, hat ein Auge auf Sie geworfen.«

»Wer sagt Ihnen das?«

»Niemand, aber einer Frau entgeht das nicht.«

»Unsinn!«

»Doch, doch! Sie ließ das ja auch deutlich genug erkennen, ohne jede Zurückhaltung. Und wissen Sie, woher das kommt?«

Pedro wandte seinen Blick von der Straße ab und sah Mathilde an, schweigend. Eine Kurve rückte näher.

»Von diesen blödsinnigen Illustriertenberichten, in denen Männer aus unseren Kreisen, Adelige, nicht standesgemäß heiraten, in denen sie Stewardessen oder kleine Dolmetscherinnen und – bitte – Sekretärinnen heimführen. Das verdirbt die Sitten, Pedro, glauben Sie mir. Jede denkt, es der Silvia nachmachen zu können.«

Die Kurve war erreicht. Urplötzlich tauchte ein Bauernwagen, der ihnen entgegenkam, auf. Pedro sah die Pferde und das erschrockene Gesicht des an den Zügeln zerrenden Bauern ganz nah vor sich, er hörte einen hellen Schrei neben sich – und da hatte er schon die Bremse getreten sowie das Steuer nach rechts gerissen. Der schwere Kraftwagen schleuderte zur Seite, schlitterte über die Schlaglöcher der in der Kurve besonders schadhaften Straßendecke und kam unmittelbar vor dem Chausseegraben zum Stehen.

Rasch erholte sich Pedro vom ersten Schreck, doch dann empfand er den zweiten: Mathilde lag an seiner Brust, mit geschlossenen Augen.

War sie ohnmächtig? Verletzungen konnte man keine an ihr entdecken.

Der Bauer fluchte, verstummte aber, als er den Lenker des Autos erkannte. Nachdem es ihm gelungen war, die Pferde zu beruhigen, fuhr er weiter.

Vorsichtig suchte sich Pedro von Mathilde zu lösen. In diesem Augenblick wurde die Frage ›Ohnmächtig oder nicht?‹ beantwortet. ›Nicht‹ lautete die Erwiderung. Pedro fühlte sich ergriffen, zwei blutrot geschminkte Lippen strebten den seinen entgegen, ein heißer Atem traf sein Gesicht, ein ganzer schlanker

Körper preßte sich bebend an ihn, und dann küßten ihn die blutroten Lippen mit einer Wildheit, die ihn wehrlos machte.

»Verzeih mir, Pedro«, stammelte Mathilde von Bahrenhof, »ich kann nicht anders. *Ich* hatte dich abgelenkt, *ich* wäre schuld an allem gewesen, was hätte passieren können. Das Entsetzen sitzt mir noch in den Gliedern. Den Tod vor Augen, erkannte ich, wie's um mich steht – und um dich. Wir lieben uns. Meine Küsse mischen sich mit den deinen . . .«

Mit den meinen? dachte Pedro verwirrt, und Widerspruch regte sich in ihm.

Rasch legte sie ihm ihre schmale, nach Kölnisch Wasser duftende Hand auf den Mund. »Sei still, ich spüre noch deinen Kuß.«

Ein Auto hupte hinter ihnen. Ihr Wagen stand schräg auf der Straße und bildete dadurch ein Hindernis, das zu beseitigen Pedro sich angelegen lassen sein mußte. Er ließ den abgewürgten Motor wieder anspringen, legte den Gang ein und gab Gas. Bis Niederstadt sprach er kein Wort mehr, auch Mathilde schwieg. Das Teilstück, das sie weitergekommen war, bereitete ihr verhaltene Triumphgefühle.

Die Straße wurde wieder besser. Bäume und Felder flogen an ihnen vorbei, die helle Herbstsonne spiegelte sich in Teichen und Tümpeln im Gelände. Am Ziel bat Mathilde, bei ihrer Schneiderin abgesetzt und dort später wieder abgeholt zu werden.

»Wann?« fragte Pedro knapp.

»Wenn du fertig bist.«

»Wann sind Sie's?«

»Ich richte mich nach dir.«

»Ich mich nach Ihnen.«

»Also gut, in zwei Stunden«, beendete sie den unterschiedlichen Dialog, der sie dazu ermahnte, ihre Triumphgefühle noch nicht allzu stark ins Kraut schießen zu lassen.

Dr. Faber hatte in Boltenberge seinen Wagen schon verlassen und war in sein Geschäft getreten, als Siegurd von Aarfeld noch immer bei Marianne Klett stand und auf sie einredete: »Sie dürfen einfach nicht nein sagen, gnädiges Fräulein. Was soll ich ohne Sie in der Ohio-Bar? Machen Sie mir doch das Vergnügen.«

»Nachts schlafe ich«, entgegnete Marianne ein wenig unsicher. »Ich muß früh frisch sein im Dienst. Dr. Faber darf das von mir erwarten. Übrigens«, sagte sie und setzte sich ein wenig ab von Siegurd, »muß ich jetzt zu ihm, er will mir sicher gleich ein paar Briefe diktieren.«

Siegurd ergriff ihren Arm und hielt sie fest. »Ich lasse Sie nicht gehen, bis Sie meine Einladung angenommen haben. Sie wissen, daß Sie entzückend sind. Sicher haben Ihnen das schon viele Männer vor mir gesagt, ich kann es nur wiederholen. Diese Fahrt nach Boltenberge war ein süßes Erlebnis für mich. Nennen Sie mich nicht kindisch. Ich muß Sie heute abend wiedersehen.«

Es gibt auch unter Schürzenjägern noch Rangstufen. Siegurd von Aarfeld war einer mit Format.

Als er sah, daß Marianne Klett den Kopf schüttelte und sich freimachen wollte, setzte er beschwörenden Tones hinzu: »Soll ich hier auf offener Straße, vor allen Leuten, vor Ihnen auf die Knie fallen? Ich tue es, wenn Sie mich dazu zwingen.«

»Sind Sie verrückt?«

»Natürlich bin ich das! Verrückt nach Ihnen!«

Welcher Frau hätte das nicht gefallen, vor allem auch deshalb, weil als Substanz hinter diesen Worten ein leibhaftiger Baron steckte?

Marianne fing an, weich zu werden. Siegurd, der das natürlich sofort merkte, bot seinen ganzen Charme, den er in ein schmelzendes, strahlendes Lächeln hineinlegen konnte, auf und sagte: »Ich sehe, Sie kommen zur Vernunft, Sie willigen also ein?«

»Vielleicht . . .«

»Sagt eine schöne Frau ›vielleicht‹, dann hast du bei ihr viel erreicht«, trällerte Siegurd vergnügt. »Ihr ›vielleicht‹ lasse ich deshalb gelten und werde Punkt acht Uhr abends vor Ihrer Tür stehen. Ihre Adresse, bitte?«

»Mozartstraße 4 – aber wenn ich komme, nur auf ein Glas Wein, ein Stündchen.«

»Einverstanden, nur auf ein Glas Wein, ein Stündchen.« Siegurd beugte sich über Mariannes Hand und küßte sie zart. »Eine Stunde Glück. Wie sagt doch Schiller? ›Einen Tag gelebt im Paradiese ist nicht zu teuer mit dem Tod bezahlt‹. Ich kann das nur unterstreichen.«

Marianne wandte sich lachend ab und lief in den Laden, auf dessen breiter Glastür in Goldbuchstaben ›Kunsthandlung Faber‹ stand. Siegurd blickte ihr durch die Scheibe nach, bis sie im Hintergrund des Raumes in einem Büro verschwand. In seinen Augen lag ein flimmernder Glanz, seine Lippen unter dem schmalen, schwarzen Bärtchen lächelten genießerisch. Er rieb sich sogar die Hände. Alles an ihm erinnerte an einen Menschen, der sich einer Beute sicher zu sein schien.

In der Ohio-Bar, einem der bevorzugten Reviere dieses Jägers, gab es schummrige Nischen und Ecken, in denen auch ein gewaltsamer Kuß nicht für Aufregung sorgte. Frauen, die sich widersetzten, erhofften sich vom Personal des Etablissements vergeblich Beistand.

Siegurd ging die Hauptstraße hinunter. Vor einem Blumenladen blieb er stehen, betrachtete die Auslagen und trat dann ein. Nach einer sorgfältigen, fachmännischen Auswahl bezahlte er einen wunderschönen Strauß kostbarer Blüten, den er durch Boten an ›Fräulein Marianne Klett, Kunsthandlung Faber‹, begleitet von einer Karte, schicken ließ. Auf die Karte hatte er geschrieben: »Ein Traum von Blumen meinem Traum vom Leben . . .«

Dann schlenderte er vergnügt und spannkräftig durch Boltenberge, drückte am Stadtrand die Vorgartentür einer kleinen Villa auf und schellte. Eine junge, hübsche Witwe öffnete ihm, stieß einen kleinen Freudenschrei aus, zog ihn ins Haus, sprang ihm drinnen in die auffangbereiten Arme und ließ sich dorthin tragen, wohin sich junge Witwen, nachdem sie den ersten Schmerz, den der von ihnen erlittene Verlust in ihnen hervorrief, überwunden haben, am liebsten tragen lassen.

2

Es war einer Woche später. Pedro von Aarfeld stand vor dem Tor des Gutes und erwartete den Wagen Dr. Fabers, der heute zur Jagd kommen sollte. Er hatte ein grünes Hemd und einen grünen Lodenanzug an, steckte in derben Stiefeln und sah, wenn man ihn nicht kannte, aus wie ein Forstbeamter.

Normalerweise stellte sich der Baron nicht vors Tor, um einen Gast zu erwarten und auf das Glück zu vertrauen, daß der Betreffende auch pünktlich erschien. Heute tat er es.

Und er hatte es auch nicht zu bereuen, denn genau zum festgesetzten Zeitpunkt tauchte die Limousine des Kunsthändlers auf und rollte vor dem Tor aus. Doch dann entdeckte Pedro überrascht am Steuer des Wagens nicht seinen Freund Faber, sondern dessen Chauffeur. Die noch größere Enttäuschung freilich, die ihm hätte drohen können, blieb ihm erspart. Im Fond des Autos saß Marianne Klett, ein wenig aufgeregt, ein wenig befangen, und blickte durch die Scheiben.

Galant half er ihr aus dem Wagen und drückte ihr nach Jägerart derb die Hand.

»Sie kommen allein?«

»Ja.« Ihre Stimme war etwas belegt vor Aufregung. »Herr Dr. Faber läßt sich entschuldigen, er mußte zu einem dringenden

Termin plötzlich nach München.«

»Warum rief er mich nicht an?«

»Weil es, sagte er, immerhin möglich ist, daß er mit dem Flugzeug zurückkommt und sich hier noch rechtzeitig einfindet.«

»Das hat er schon oft gesagt, ich glaube es nicht. Mein Verdacht ist der, daß er sich vor der von ihm gefürchteten sogenannten Mückenplage im Wald schützen will.«

Beide lachten, und Marianne sagte: »Inzwischen hat er jedenfalls mich als vorläufigen, alleinigen Ersatz geschickt . . .«

»Und dieser Ersatz«, verneigte sich der Baron galant, »ist viel besser als das Original.«

Der Chauffeur wurde mit dem Wagen zurück nach Boltenberge in Marsch gesetzt.

»Und wie werde ich nach Hause kommen?« fragte Marianne den Baron, der den Chauffeur mit einem reichlichen Trinkgeld bedachte.

»Ihren Transport übernehme morgen ich selbst.«

Sie gingen ins Haus, in welchem ihnen dann gleich Kaffee und Kuchen serviert wurde.

»Sind Sie gerüstet, sehr früh aus den Federn zu steigen?« fragte er. »Wann darf ich Sie wecken lassen?«

»Jederzeit. Ich möchte nichts versäumen im Morgenwald. Herr Dr. Faber hat mich verleumdet, als er mich als Langschläferin bezeichnete.«

Pedro trank einen Schluck Kaffee und blickte Marianne über den Rand seiner Tasse hinweg wohlgefällig an. Plötzlich trat ein leiser Schatten in seine Augen, er setzte die Tasse ab.

»Ach ja«, sagte er, »ich soll meinen Bruder Siegurd bei Ihnen entschuldigen. Er hatte eine wichtige Angelegenheit in der Stadt zu erledigen.« Und mit einem gewissen Lächeln setzte er hinzu: »Er hat oft wichtige Angelegenheiten in der Stadt zu erledigen.«

Marianne Klett spürte, daß sie ein Zucken ihrer Augenlider

nicht unterdrücken konnte.

»Wissen Sie«, überspielte Pedro die Situation – ob gewollt oder ungewollt, blieb unklar, »ich finde es herrlich, daß Dr. Faber nach München mußte. Hoffentlich erwischt er heute kein Flugzeug mehr. Ich habe kein Bedürfnis, mich von ihm noch mit seinen Katalogen traktieren zu lassen. Viel lieber würde ich mit Ihnen heute nachmittag schon einen Spaziergang durch den Wald machen, einen Orientierungsbummel sozusagen. Hätten Sie Lust?«

Sie sprang auf. »Aber ja!«

Im Moment floh sie gerne diese Räume hier, um den Geist Siegurds zu bannen.

An jenem Abend, an dem sie mit ihm in der Ohio-Bar geweilt hatte, war sie mit der Welt in Berührung gekommen, die man die »große« nennt und die sie nur aus Büchern und Filmen kannte. Ein glitzernder Raum mit einer Spiegeltanzfläche; mit schmiedeeisernen Geländern und Leuchtern; einer endlos langen Theke; Herren im Frack; Damen in Abendkleidern, Träumen aus Tüll, Spitzen, Lamé, Taft und Seide. Herren, die nicht mit 100 oder 200 Mark rechneten; Damen, die noch viel weniger erwarteten, daß ihre Begleiter damit rechneten; ein Orchester, das so wundervolle Weisen spielte, heiße und verträumte, daß man die Augen schloß und sich willenlos über den Spiegel gleiten ließ, an der Brust eines Mannes, der zärtlich und süß sagte, daß er die schönste Frau seines Lebens im Arme halte.

Siegurd von Aarfeld. Als er sie das erstemal küßte, blinkte es warnend auf in ihrem Inneren, aber sie küßte ihn wieder, weinselig, glücklich, einen Mann bei sich zu haben, der sie umschwärmte und verehrte. Und sie küßte ihn noch einmal und noch einmal und zuletzt auch, als er sie nach Hause brachte und sich korrekt an ihrer Tür verabschiedete. Nein, er versuchte nicht, die Situation auszunützen. Dr. Faber sah ihn falsch. Marianne kroch glücklich ins Bett und träumte von Tangos und feurigen Señores und lächelte im Schlaf. Was wußte sie von einer jungen, heißen Witwe, in deren Bett sich stundenlange Liebeskämpfe abgespielt hatten, aus denen jene Ermattung und Sittsamkeit resultierte, über die sie, Marianne, sich vor ihrer Haustür freuen zu dürfen glaubte.

»Mit Ihren Schuhen können Sie aber nicht losziehen«, sagte Pedro. »Im Wald ist's naß, vor allem gegen Abend, wenn wir doch länger draußen bleiben.«

Er weiß nichts von meinem Ohio-Bar-Besuch, dachte Marianne. Siegurd hat ihm nichts erzählt. Bin ich froh! Ein Mädchen darf sich nicht gleich beim erstenmal so gehen lassen. Ich wollte ja auch nur ein Stündchen bleiben, hatte ganz fest diesen Vorsatz. Aber der Wein war so gut . . . und dann der Champagner! Ich hatte noch nie welchen getrunken. Er war herrlich. Am nächsten Morgen sah allerdings alles schon wieder etwas anders aus. Ich hatte Kopfweh. Und im Geschäft war ich müde. Übel war mir auch. Siegurd sagte mir am Telefon, das käme alles vom Durcheinander, das ich getrunken hätte. Warum hat er mir dann dieses Durcheinander eingeflößt?

Pedro schellte. Er fragte, ehe ein Diener erschien, Marianne: »Welche Schuhgröße haben Sie?«

»Achtunddreißig.«

Dann stand der Diener in der Tür, ein langer, dürrer Mensch, mit einem Gesicht, das ständig zum Ausdruck brachte, daß er mit der ganzen Welt, sämtlichen lebenden und toten Gegenständen, unzufrieden war. Alle im Haus nannten ihn Lulatsch.

»Lulatsch«, sagte der Baron, »bring uns ein Paar Gummistiefel für die Dame, Größe achtunddreißig; außerdem den Damenlodenmantel, auf den ich dich schon hingewiesen habe.«

»Sehr wohl, Herr Baron.«

Lulatsch ließ einen raschen Blick über die Besucherin seines

Herrn gleiten, dann stand sein Urteil fest: viel zu hübsch; solche Individuen verdrehen den Männern nur die Köpfe.

Er verließ den Raum.

Um die gleiche Zeit saßen sich auf Gut Bahrenhof Mathilde, die Herrin, und Baron Siegurd von Aarenfeld gegenüber. Siegurd hielt es aber in seinem Sessel nicht lange aus. Er stemmte sich aus ihm hoch und legte sich auf die Couch, zog die Beine an, verschränkte die Hände unter seinem Kopf und fuhr fort, an seiner Zigarette zu paffen, die ihm im Mundwinkel hing.

»Paß auf auf die Asche!« ermahnte ihn Mathilde ziemlich unwirsch.

Sie machte einen etwas derangierten Eindruck, ihre sonst so gepflegten Locken waren zerwühlt. Unter einem bunten Seidenmorgenrock trug sie nur eine schwarze Spitzenkombination. Das paßte zur Kleidung, in der Siegurd auf der Couch lag. Sie war auch nicht vollständig.

»Du sollst auf die Asche aufpassen«, wiederholte Mathilde. »Gleich fällt sie runter, das macht mich nervös.«

»Bring mir einen Aschenbecher«, sagte er faul.

Wortlos kam sie der Aufforderung nach, lief mit nackten Füßen über den Teppich und zog sich wieder in ihren Sessel zurück.

»Wie weit bist du mit Pedro?« fragte er sie.

Ein verächtlicher Laut, den sie ausstieß, war die einzige Antwort.

Siegurd drehte das Gesicht, mit dem er empor zur Decke geblickt hatte, hinüber zu ihr und sagte: »Was heißt das? Schaffst du ihn nicht?«

»Suche die Schuld nicht bei mir!« fauchte sie ihn an. »Dein Bruder ist wohl schwul. Ich habe eine Situation heraufbeschworen, habe mich hineingekniet, daß mir jeder normale Mann die

Kleider vom Leib gerissen hätte.«

»Wo war das? Hier in deinem Haus?«

»Das betritt er ja nicht. Nein, im Auto.«

»Im Auto?« Siegurd lachte schallend. »Das glaube ich, daß du damit bei dem nicht ankommst. Geschlechtsverkehr im Auto ist nichts für den.«

»Für dich schon.«

»Soll das ein Vorwurf sein? Dann müßtest du mich im gleichen Atemzuge der mehrfachen Vergewaltigung, begangen an dir, anschuldigen. Aber davon kann wohl nicht die Rede sein.«

»Laß uns nicht streiten. Weißt du, was ich gemerkt habe?«

»Was?«

»Die vom Faber ist hinter deinem Bruder her.«

»Wer die?«

»Die neue Sekretärin, du weißt schon.«

»Die Klett?«

»Ja, die kann den Blick nicht von ihm wenden.«

»Das bildest du dir ein.«

»Willst du mir abstreiten, daß ich ein Auge für so etwas habe?«

Siegurd richtete sich auf, schwang die Beine von der Couch und sagte, als er saß: »Mach mich nicht schwach, du meinst das wirklich?«

»Wirklich und wahrhaftig.«

»Aber du solltest doch in der Lage sein, ohne weiteres ein solches Gänschen auszustechen.«

Mathilde von Bahrenhof warf arrogant den Kopf zurück. »Bei einem normalen Mann ohne weiteres, ja. Dein Bruder scheint aber kein normaler Mann zu sein, wie ich dir schon sagte.«

»Hör mit diesem Unsinn auf!«

»Unsinn? Bist du sicher?«

»Absolut.«

»Schön, dann frage ich dich, was wir machen sollen. Die Situation ist nicht ungefährlich.«

Siegurd dachte kurz nach, dann entschied er: »Für dich gilt das gleiche wie bisher: Heiz ihm ein! Um die Klett kümmere ich mich.«

»Was hast du vor mit ihr?«

»Sie mir zu meiner Geliebten zu machen.«

»Siegurd! Das verbiete ich dir!«

»Thildchen, denk an deine Schulden«, sagte er trocken, und sie steckte auch prompt zurück: »Mußt du denn gleich ins Bett steigen mit ihr? Du weißt doch, wie eifersüchtig ich bin, Siegurd.«

»Nun gut«, lenkte er ein, »vielleicht genügen notfalls auch ein paar Küsse, um sie für einen spanischen Bastard zu erledigen.«

»Gegen ein paar Küsse hätte ich nichts einzuwenden.«

»Dazu wäre es auch zu spät«, lachte er.

»Was heißt das?« fuhr sie hoch.

»Das heißt, daß die Küsse schon über die Bühne gingen.«

Mathilde sprang auf. »Wann? Wo? Du Schuft! Du Lump! Das hättest du mir nie gesagt, wenn dich die Situation jetzt nicht mehr oder minder dazu gezwungen hätte. Sei vorsichtig, ich habe dich in der Hand.«

»Wer hat wen in der Hand, du mich oder ich dich?«

»Ich dich, täusch dich nicht.«

»Wieso du mich?«

»Weil ich, wenn du zu weit gehst, nicht zögern werde, deinem Bruder die Augen zu öffnen und ihm das Komplott zwischen uns beiden aufzudecken. Kapiert, mein Lieber?«

Er war so perplex, daß er nur hervorstoßen konnte: »Du bist ja verrückt!«

Doch er machte sich keine Illusionen und setzte hinzu: »Aber zuzutrauen wäre dir das.«

»Absolut!« schwor sie ihm.

Die allgemeine Stimmung war verdorben, und er sah kein anderes Mittel als das altbewährte, mit dem vor allem Mathildes Laune wieder aufzubessern war, und so waren die paar Sachen, die jeder von ihnen nur anhatte, rasch ausgezogen . . .

Im Wald war es völlig still. Wie ausgestreute Perlen hing der Tau an den Farnen und Gräsern der Lichtungen. Der weiche Waldboden roch herb nach Pilzen, verfaulendem Laub und dürren Tannennadeln.

An den Beinen dicke Gummistiefel und eingehüllt in ihren weiten, langen Lodenmantel, stapfte Marianne Klett neben Pedro von Aarfeld durch den herrlichen Forst. Stiefel und Mantel hatten Aufgaben des Schutzes zu erfüllen. Daneben konnten sie nicht auch noch die Aufgabe erfüllen, die Schönheit dessen, was sie schützten, zu unterstreichen. Beine und Figur wurden von ihnen verdeckt, nicht hervorgehoben. Trotz der Vermummung glitt Pedros Blick aber immer wieder zufrieden über das Geschöpf an seiner Seite.

Um ihr lockiges Haar hatte Marianne ein hauchdünnes Chiffontuch geschlungen. Tief atmete sie die reine Luft ein und blieb ab und zu stehen, wenn es im Gebüsch knackte oder ein Eichhörnchen vor ihnen im Geäst einer Fichte herumturnte.

Ehe sie auf eine Lichtung hinaustraten, hielt Pedro plötzlich an und faßte Marianne am Ärmel ihres Mantels. Zugleich legte er den Zeigefinger auf die Lippen und nickte nach vorn.

Lautlos schlüpften sie hinter einen dicken Baum. Ihnen gegenüber, auf der anderen Seite der Lichtung, entdeckte Marianne ein Reh, eine Ricke. Was eine Ricke war, nämlich ein weibliches Reh, wußte Marianne damals noch nicht, aber Pedro erklärte es ihr in einigen kurzen Worten, die er ihr ins Ohr hauchte. Dies geschah zu ihrem Vergnügen freilich, wie sie sich eingestehen mußte, weniger der Worte als des Hauches wegen.

Die Ricke äugte nach allen Seiten, sicherte; da aber der Wind ungünstig für sie stand, konnte sie keine Witterung nehmen und senkte deshalb beruhigt den Kopf, um die saftigen Spitzen der Gräser zu äsen. Zwischendurch hob sie immer wieder den Kopf und suchte mit ihren glänzenden Augen mißtrauisch die Waldränder ab. Langsam, Schritt für Schritt, näherte sie sich, während sie äste, den beiden Beobachtern.

Leise zogen sich Marianne und Pedro zurück und schlugen einen weiten Bogen um die Lichtung.

»Man soll das Wild nicht vergrämen«, erklärte ihr der Baron und blieb stehen. »Sehen Sie, wenn uns das Reh bemerkt hätte, wäre es sofort geflüchtet und hätte lange, vielleicht sogar für immer, diesen Platz gemieden. Die Tiere kennen die Gefahr durchaus, die ihnen vom Menschen droht.«

Sie gingen wieder weiter, schritten eine Weile stumm nebeneinander her, bahnten sich, Pedro voraus, einen Weg durch dichtes Unterholz, kletterten über einige kleine, bewaldete Hügel und kamen schließlich zu einem Abhang, dessen Fuß das Ufer eines kleinen Sees bildete. Verträumt, einsam, verlassen lag der See inmitten des Waldes. Das klare Wasser wurde von der Sonne bespiegelt, Gebüsch säumte das Ufer, und auf der gegenüberliegenden Seite erhoben sich wieder dicht bewaldete Hügel.

»Wunderschön«, sagte Marianne, die sich nicht sattsehen konnte. »Dieser Frieden! Diese Stille! Auch der See gehört Ihnen?«

»Ja«, sagte er. »Ich nenne ihn ›Das schlafende Mädchen‹. Ich habe ihn so getauft, weil er noch unberührt ist, jungfräulich inmitten einer prangenden Natur. Nur der Förster Recke kennt ihn genau ... und ich.«

Er sah Marianne lächelnd an. Ihr kastanienbraunes Haar schimmerte in der Sonne. Das schöne Gesicht war ein wenig zur Seite geneigt. Leise atmend hob und senkte sich ihre Brust.

»Wunderschön«, sagte sie wieder, den Blick auf den See, über dem Libellen tanzten, gerichtet.

Pedro faßte sie an der Hand. »Kommen Sie, ich habe Ihnen noch etwas zu zeigen, ein Geheimnis. Sie müssen mir aber versprechen, es für sich zu behalten.«

Sie nickte.

Wie hatte doch Siegurd gesagt? ›Du darfst unser Geheimnis nicht verraten, kleines Mädchen. Wenn man sich liebt, muß man das ganz tief im Herzen behalten.‹

Wenn man sich liebt . . .

Liebte sie Siegurd wirklich? Liebte sie ihn, weil sie sich von ihm hatte küssen lassen? Weil sie seine Küsse erwidert hatte?

Oder konnte sie diesen großen Mann neben sich lieben, der so ganz anders war als sein Bruder, so ehrlich, so tief mit der Natur verbunden, so klar wie der See, der zu ihren Füßen lag?

»Kommen Sie«, sagte Pedro noch einmal, als sie versunken dastand und den Eindruck erweckte, als ob sie sich nicht in Bewegung setzen wollte, »es ist nicht weit.«

Er führte sie ganz hinunter ans Ufer, stützte sie, machte sie auf Stolperstellen aufmerksam. Jedesmal, wenn seine starken Finger an ihrem Arm fester zugriffen, um ihn Halt zu verleihen, durchströmte es Marianne, und sie verspürte den Wunsch, ihn zu umfangen, sich an seinen Hals zu hängen und sich in ihrer Gänze von ihm tragen zu lassen . . . immer . . . bis ans Ende der Welt.

Nur ein schmaler Pfad, der sich rasch verengte, führte um das Wasser herum. Pedro mußte nun vorausgehen. Er bog die in den Weg hineinragenden Zweige der Büsche zur Seite, Marianne diese lästige Arbeit ersparend, und strebte einem dichten Tannenwald entgegen. Schließlich wurde der Pfad wieder etwas breiter, das Ufer schien in den Wald hineinzuwachsen, es wurde flach – und plötzlich stand Marianne, als sie hinter einem Busch hervortrat, vor einem kleinen Holzhaus mit grünen Läden, das nahe an den See herangebaut worden war. Ein Bootssteg führte ins Wasser. Das Boot selbst lag kieloben auf dem schmalen Streifen zwischen Haus und See.

»Das Geheimnis«, sagte Pedro von Aarfeld, mit einer kreisenden Handbewegung auf die ganze Idylle weisend. »Was Sie hier sehen, Fräulein Klett, ist niemandem bekannt, meinem Bruder nicht, der Freiin von Bahrenhof nicht, Dr. Faber nicht – keinem, außer Recke. Sie sind die erste, der ich es zeige. Es handelt sich um das Atelier des Malers Ralf Torren.«

»Der Ort«, fragte sie ihn, »wohin Sie oft spurlos verschwinden?«

Und da er nickte, trat sie an das Häuschen heran und strich mit der Hand über das harte, rissige, dringend wieder eines Anstrichs bedürftige Holz.

»Ein Ort des Glücks«, sagte sie dabei. »Wie unverstanden von seinen Nächsten muß einer sein, den es in solche Einsamkeit treibt.«

Er stand hinter ihr. »Sagen Sie das nicht, Marianne. Hier fühle ich mich wohl. Gut Aarfeld ist meine Welt der Arbeit, das hier meine Welt des Glücks, des Künstlers – wenn ich mich einen solchen nennen darf. Hier sitze ich Stunden um Stunden und male: das Reh, den Hirsch, die Bäume um mich herum, die Nebel, die aus dem See steigen, die Schatten der Dämmerung, den Regenbogen, der sich über die Wälder spannt, den Fuchs, den Igel im Kampf mit einer Otter, das Eichhörnchen, das Zapfen knabbert, die Wildgänse, wenn sie gen Süden ziehen oder zurückkommen nach Norden. Ich male sie alle, die meine Freunde geworden sind, doch am meisten beschäftigt mich immer wieder mein Hauptmotiv: ›Das schlafende Mädchen‹.«

Er drehte den Schlüssel im Schloß und stieß die Tür des Häuschens weit auf. Ein Geruch nach Farben, Terpentin, Leinwand und Leim strömte ihnen entgegen. Rasch war Pedro bei den Fenstern, öffnete sie und ließ frische Luft und helles Tageslicht in den einzigen großen Raum der Hütte hereinquellen.

Links in der Ecke standen eine einfache Couch, ein Tisch und zwei Flechtsessel. Am hinteren Fenster befand sich die große Staffelei mit dem Farbenkasten. Die Wände waren über und über behängt mit den Gemälden Ralf Torrens. Den einzigen Gegenstand des Komforts, der vorhanden war, bildete ein guter Teppich. Er bedeckte einen großen Teil des roh gedielten Bodens. Ein alter Küchenschrank in der rechten vorderen Ecke und ein wackliger Herd daneben vervollständigten die Ausstattung des Raumes.

Marianne ging von Bild zu Bild und betrachtete jedes. Im Grunde wiederholten sich die Motive oft, waren aber immer abgewandelt. Derselbe Fleck Erde mit verschiedenen Gesichtern – bei Regen, Gewitter, bei strahlender Sonne, unter Schnee, im Nebel. Marianne staunte über die Vielfalt der Natur und die Könnerschaft, mit der Pedro sie eingefangen hatte.

Was sie dachte und empfand, sammelte sich alles in einem einzigen Wort, das sich endlich ihrem Inneren entrang: »Herrlich!«

»Ich freue mich, daß Ihnen die Bilder gefallen«, sagte Pedro schlicht.

»Was heißt ›gefallen‹? Ich bin begeistert, hingerissen! Wie machen Sie das nur?«

Er stand hinter ihr und antwortete: »Man muß die Stimme der Natur hören. Man muß ihr Antwort geben können aus der Seele heraus, denn fast alles, was wir sehen, ist irgendwie beseelt, hat Leben. Und man erschließt das Zauberreich jeder Seele nur, wenn man ihr mit offenem Herzen entgegentritt.«

Halb unbewußt strich er Marianne von hinten über das kastanienbraune Haar, von dem das Chiffontuch geglitten war. Das Mädchen fuhr unter der Berührung seiner Hand zusammen, und sofort trat er einen Schritt zurück und schlug einen Imbiß vor –

wahrscheinlich, um sie sein keckes Tun vergessen zu lassen.

Marianne bedauerte beides: ihr Zusammenfahren und seine überstürzte Reaktion darauf.

»Haben Sie denn hier Vorräte, Herr Baron?« fragte sie ihn.

»Bitte«, sagte er, »lassen Sie endlich den Baron weg.«

Sie sah ihn mit großen Augen an. »Aber ich kann Sie doch nicht Pedro nennen . . .«

»Warum nicht?«

»Nein, unmöglich!«

»Und wenn ich Sie Marianne nenne?«

»Auch dann nicht, der Unterschied ist zu groß.«

»Wissen Sie was?« meinte Pedro von Aarfeld nach kurzer Überlegung. »Nennen Sie mich Ralf.«

»Ralf?«

»Ja, das ginge doch. Ich fühle mich hier als Ralf Torren. Alles um uns herum zeugt nur von Ralf Torren. Oder gefällt Ihnen der Name nicht?«

»Doch, aber . . .«

. . . aber Pedro würde mir schon noch besser gefallen, dachte sie.

»Kein ›aber‹, Verehrteste! Es bleibt also bei ›Ralf‹, einverstanden?«

Den ›Pedro‹ bringe ich dir schon noch bei, dachte er.

Marianne nickte, wobei sie immer noch etwas zaghaft seufzte: »Einverstanden.«

»Prima!« freute er sich, rieb sich die Hände und schritt zum Herd. Dies veranlaßte Marianne, ihre ursprüngliche Frage nach den Vorräten, die ihm zur Verfügung stünden, zu wiederholen. Wie angenagelt blieb er auf halbem Wege stehen, um nachzudenken.

»Vorräte?« fragte er sich selbst. Die Antwort, die er an die eigene Adresse richtete, folgte auf dem Fuße: »Keine imposanten,

48

weder der Menge noch der Qualität nach.«

Marianne lachte. »Dann werde ich mich also auf ein paar Eier gefaßt machen.«

»Eier!« strahlte Pedro alias Ralf. »Sie sind phantastisch, Marianne, Sie haben den Nagel auf den Kopf getroffen. Lassen Sie mich ausrufen: Die Eier des Kolumbus! Wie wünschen Sie sie, Marianne: weich, halbweich oder hart?«

Nachdem damit die Wahl, die auch an Spiegel- oder Rühreier hätte denken lassen können, entscheidend eingeengt war, antwortete Marianne vergnügt: »Halbweich, bitte.«

Der Küchenchef hätte auch gar kein Fett für Rühr- oder Spiegeleier greifbar gehabt.

Wasser gab's im See.

Marianne hatte den Mantel ausgezogen, saß in einem der einfachen Flechtsessel, streckte die Beine mit den dicken Gummistiefeln weit von sich und blickte abwechselnd auf letztere und auf ihren am Herd hantierenden Gastgeber.

Stiefel gefielen ihr nicht, deshalb zog sie sie aus.

»Sie werden mir hier drinnen zu warm«, sagte sie, um Ralf alias Pedro die Notwendigkeit dieser Maßnahme zu erklären.

Recht hat sie, dachte er, wer solche Beine hat, soll sie nicht unter den Scheffel stellen.

Das Wasser begann zu kochen. Pedro alias Ralf schickte sich an, die Eier in den Topf zu werfen, ohne vorher, um die zerbrechlichen Dinger vor dem Zerplatzen zu schützen, Salz ins Wasser gegeben zu haben. Marianne sprang auf, lief über den Teppich zum Herd und bemächtigte sich der Eier.

»Soll nicht doch lieber ich . . .«

»Wieso, stimmt etwas nicht?«

»Ins Wasser muß Salz, Herr Baron.«

»Wenn Sie noch einmal ›Baron‹ sagen, gebe ich Zucker hinein.«

»Ralf.«

»So ist's richtig. Wieso Salz, Marianne?«

»Damit die kalte Schale nicht im kochenden Wasser zerspringt.«

Er blickte sie verdutzt an, schlug sich mit der flachen Hand gegen die Stirn und rief: »Sieh mal einer an! Das war's also: Salz! Deshalb hatte ich so oft Pech. Warum hat mir das nicht schon früher jemand gesagt?«

Marianne blickte sich nach Salz um, sah einen entsprechenden Topf am Fenster stehen und streute eine tüchtige Menge ins sprudelnde Wasser. Dabei sagte sie so nebenhin: »Frau von Bahrenhof weiß das vielleicht selbst nicht.«

»Was weiß die selbst nicht?«

»Daß man Salz ins Wasser geben muß. Sie hat dazu ihre Leute.«

»Schon möglich, aber wieso kommen Sie jetzt gerade auf die?«

»Sie hätte Ihnen den Tip geben können.«

»Die?« Er schüttelte absolut verwundert den Kopf. »Wann? Wo?«

»Vielleicht hier.«

»Hier?« Er starrte ihr ins Gesicht. »Was habe ich Ihnen gesagt? Wer kennt dieses Refugium hier? Niemand. Aber nun sehe ich, daß Sie mir nicht glauben, Marianne . . .«

»Doch«, stieß sie, ihren Fehler erkennend, rasch hervor. »Ich wollte es nur noch einmal hören, verzeihen Sie mir, Ralf.«

»Sie wollten es noch einmal hören?« hakte er, im Nu besänftigt, ein.

»Ja.«

»Wäre Ihnen denn das so wichtig?«

Sie wich seinem Blick aus und sagte: »Die Eier müssen ins Wasser. Können Sie mir einen Löffel geben?«

Protestierend trat er zwischen sie und den Herd.

»Bleiben Sie mir jetzt mit diesen verdammten – entschuldigen Sie – Eiern vom Hals, Marianne!« regte er sich auf. »Ich habe Sie etwas gefragt!«

Er legte ihr die Hände auf die Schultern und zwang ihr seinen Blick auf.

Eine rote Welle strömte ihr ins Gesicht.

»Ja oder nein, wäre es Ihnen wichtig oder nicht, Marianne?«

Sie entwand sich seinen Händen und sah zum Fenster hinaus. Ihr war klar, daß die Antwort, auf die er wartete, von entscheidender Wichtigkeit für sie beide war. Seine Augen hingen an ihr. Sie waren wie ein offenes Buch, in dem sie lesen konnte. Ihr Herz wollte jubilieren, aber im nächsten Moment drohte es ihr stehenzubleiben. Sie dachte an Siegurd, an den Abend mit ihm in der Ohio-Bar, an die halbe Verpflichtung, die sie eingegangen zu sein glaubte. Dies mußte erst bereinigt werden.

Über dem See stand hell die Sonne. Das Wasser glitzerte wie bewegliches, flüssiges Silber. Dunkel ragten die hohen Tannen empor, standen wie Wächter, welche die Unberührtheit zu bewachen hatten.

»Marianne . . .«

Sie wandte den Blick vom Fenster. Seine Stimme hatte leise geklungen, traurig.

»Du sagst also nein, Marianne. Warum?«

»Das stimmt nicht. Ich muß dich nur bitten, zu warten.«

Beide duzten sich plötzlich und merkten es nicht einmal.

»Warten heißt ›nein‹, Marianne«, sagte er dumpf. »Ich fühle das, nein, ich weiß es, ich mache mir da nichts vor.«

Er senkte den Kopf und blickte zu Boden.

»Du irrst dich!« rief Marianne mit leidenschaftlicher Stimme, doch als er sie daraufhin spontan in seine Arme reißen wollte, hob sie abwehrend die ihren. »Noch nicht, Ralf . . . nein, Pedro!«

»Warum nicht?«

»Ich kann dir das nicht erklären, du würdest mich nicht verstehen, gerade du nicht, weil bei dir alles so einfach, so natürlich, so unkompliziert ist. Aber ich verspreche dir, daß du nicht mehr lange warten mußt.«

»Kann ich dir irgendwie helfen?«

»Nein.«

»Handelt es sich – verzeih meine Frage – um einen anderen Mann?«

Sie schüttelte den Kopf. Als sie sah, wie er befreit aufatmete, wandte sie sich ab. Ich habe ihn belogen, durchzuckte es sie. Und er ist glücklich über diese Lüge, weil er sie glaubt. Er kann sich gar nicht vorstellen, daß ich ihm nicht die Wahrheit sage. Um wieviel ist er besser als ich! Oh, wie schlecht bin ich, wie abscheulich feige und kleingläubig . . .

Pedro fuhr fort, glühende Kohlen auf ihrem Haupt zu sammeln. »Ich vertraue dir. Hauptsache, kein anderer hat Rechte auf dich. Alles andere ist für mich unwichtig. Ich erhalte jedoch mein Angebot aufrecht, dir bei der Lösung jedes Problems behilflich zu sein.«

»Danke, Pedro.«

»Glaube aber nicht«, sagte er lachend, »daß ich dich lange in Ruhe lassen werde. Meine ständige Frage wird dich verfolgen: ›Warum sagst du nein – warum immer noch?‹ Jede Woche werde ich dir damit mindestens einmal in den Ohren liegen – bis zu dem Tage, an dem du ja sagst.«

Sie schämte sich innerlich und verfiel deshalb auf die Frage: »Wie lange soll nun das Wasser noch kochen?«

Auf diese Weise ging es vier Eiern – für jeden zwei – doch noch an den Kragen. Das Mahl vervollständigten zwei Scheiben Knäckebrot pro Nase, und Salz, soviel jeder haben wollte. Marianne fragte auch nach Pfeffer. Pedro mußte sie enttäuschen.

Marianne zog aus allem lachend das Resümee: »Deshalb sind also deine Bilder so gut.«

Pedro antwortete: »Ich sehe keinen Zusammenhang. Was willst du damit sagen?«

»Du verwöhnst hier draußen deinen Magen nicht. Und es heißt, daß der Hunger die Künstler schon immer zu ihren größten Werken in der Kunstgeschichte beflügelt hat.«

Sie alberten eine Weile herum. Pedro fühlte sich glücklich, Marianne auch, sie vergaß fast ganz auf Siegurd und das Problem, das mit ihm zusammenhing. Schließlich entschlossen sie sich noch einmal zu einem Spaziergang um den See herum, und Marianne schlüpfte wieder in ihre Stiefel.

Sie erreichten eine von Büschen dicht umgebene Landzunge, die etwas in den See hineinragte, und blickten hinaus aufs Wasser, auf dem lautlos die Blätter trieben, die der Herbst bunt in den See streute.

»Hier will ich ein Haus bauen«, sagte Pedro und deutete auf den Platz dicht am Ufer. »Ein kleines Haus mit vier oder fünf Räumen. Darin möchte ich leben. Um das Gut mag sich dann ein Verwalter kümmern. Die Leute werden mich zwar sicher für verruckt halten, denn in ihren Augen dürfte es sich gewissermaßen um den Tausch eines Schlosses gegen eine Hütte handeln, doch das soll mir egal sein. Leichten Herzens werde ich den Majoratsherrn ablegen, um nur noch Maler zu sein . . .«

». . . und Jäger«, sagte da eine tiefe Stimme hinter ihnen.

Sie fuhren herum, etwas erschrocken, doch dann stieß Pedro einen erfreuten Laut aus und trat auf den großen Mann im Lodenmantel zu, der aus den Büschen kam, mit einem Gewehr auf dem Rücken.

»Sie verstehen sich aufs Anschleichen.« Pedros Zeigefinger war in gespielter Drohung erhoben. »Aber das müssen Sie mir nicht erst beweisen.«

Und zu Marianne gewandt, sagte Pedro: »Das ist Peter Recke, mein Förster. Ein Recke von Gestalt, Namen und Gemüt.«

Der Förster wollte auch den spaßhaften Vorwurf nicht auf sich sitzen lassen.

»Herr Baron«, sagte er, »Sie haben mir doch aufgetragen, gerade das Gelände hier im Auge zu behalten. Das kann man aber nicht, wenn man herumtrampelt.«

»Schon gut, Recke.«

Marianne und der Forstmann beschnupperten sich, und das Resultat schien auf beiden Seiten zufriedenstellend auszufallen.

»Am unangenehmsten wäre es mir«, sagte dann Pedro zu Recke, »wenn mein Bruder hier herumgeistern würde. Ich habe Ihnen das ganz offen gesagt. Worum's ihm geht, wissen wir. Er ist ein Schießer und kein Heger. Außerdem sucht er ständig nach Schlupfwinkeln für sich und seine zweifelhaften Damenbekanntschaften. Dabei macht er nicht einmal vor Hochsitzen halt. Sie haben ihn doch selbst schon zweimal beobachtet und mir berichtet, was sich da tat. Pfui Teufel!«

Marianne Klett schien plötzlich wie mit Blut übergossen zu sein.

»Entschuldige«, sagte Pedro, als sein Blick auf sie fiel. »Ich vergaß deine Anwesenheit. Aber der Kerl regt mich einfach immer wieder auf, wenn ich an ihn denke, und es schadet nicht, wenn du von Anfang an über ihn Bescheid weißt. Es ist traurig, daß es in einer Familie so aussehen kann.«

Die Entladung tat Pedro offenbar gut, denn wesentlich beruhigter schloß er: »Na ja, wenigstens heute sind wir sicher vor ihm. Er mußte nach Boltenberge.«

»Sagte er das zu Ihnen, Herr Baron?« fragte Recke.

»Ja.«

Recke strich sich über die Augen. »Dann muß ich wohl Sehstörungen haben.«

»Wieso?«

»Weil ich ihn erst vor einer halben Stunde gar nicht so weit von hier zusammen mit Frau von Bahrenhof durch die Gegend reiten sah.«

»So?«

Pedro sagte nichts mehr. Marianne dünkte es, als müsse der See gleich über die Ufer treten. Eine tiefe Scham erfüllte sie. Siegurd und die blonde Baronin? Hatte er nicht gerade über diese in der Ohio-Bar ungefragt einige Dinge gesagt, die alles andere als schön gewesen waren?

Lustige Witwe? Schönheitschirurgengoldgrube? Lebender Lift? Vollreiflese? Nymphomanin?

Die brave Marianne hatte nicht gewußt, was eine Nymphomanin ist, und anderntags in ihrer Naivität Dr. Faber, ihren Chef, gefragt. Der hatte sie überrascht angeblickt und dann nur gesagt: »Sie sind keine.«

Damit konnte sie auch nichts anfangen, und sie besorgte sich deshalb ein Lexikon und sah unter »Nymphomanin« nach. Das dicke Buch fiel ihr fast aus der Hand; dort stand: »Mannstolles Weib«.

Pedro schlug vor, den Spaziergang fortzusetzen.

»Und Sie, lieber Recke«, sagte er zum Förster, »melden mir heute abend, wo ein guter Bock steht, für den es dann morgen früh ernst werden soll. Fräulein Klett kann's schon gar nicht mehr erwarten.«

»Das stimmt nicht!« rief Marianne, damit unwillkürlich Zeugnis dafür ablegend, daß ihr das arme Tier jetzt schon leid tat.

Recke blickte den beiden, als sie sich entfernten, nach, bis sie hinter den Büschen verschwunden waren. Er steckte seine Pfeife, die ihm erloschen war, wieder in Brand und brummte vor sich hin: »Wenn das wahr wird, was sich da abzeichnet, gibt es noch ein Drama auf Aarfeld. Nur gut, daß man weiß, auf wessen Seite man zu stehen hat.«

Dann drehte er sich um und schritt in entgegengesetzter Richtung davon, um die Wildwechsel zu erreichen, von denen er wußte, daß er dort am ehesten den vom Baron erwünschten kapitalen Bock aufspüren würde.

Eine dringende Angelegenheit hinderte Pedro von Aarfeld daran, nach der erfolgreichen Jagd am Sonntag Marianne Klett selbst mit dem Wagen in die Stadt zurückzubringen. Dazu mußte also Lulatsch eingeteilt werden, den ein Führerschein dazu befähigte, als Chauffeur einzuspringen. Er lieferte Marianne vor ihrer Haustür ab, wendete den Wagen und fuhr sofort nach Aarfeld zurück.

Beschwingt, noch ganz im Banne der Erlebnisse, die hinter ihr lagen, glücklich und in seliger Stimmung, stieg Marianne leise summend die Stufen zu ihrem Zimmer hinauf und kramte in ihrer Handtasche nach dem Schlüssel, um aufzusperren, als sie von innen eine wohlbekannte Stimme hörte: »Komm nur rein, es ist offen. Ich erwarte dich schon seit Stunden.«

Ein eisiger Schreck durchfuhr sie. Sie lehnte sich an die Flurwand und sammelte ein bißchen Kraft, ehe sie sich stark genug fühlte, die Tür aufzudrücken und in das Zimmer zu treten. Mit starren Augen sah sie den Besucher an.

»Siegurd . . .«

»Ja, ich bin's«, sagte der junge Baron und winkte in seinem Sessel zur Begrüßung lässig mit der Hand. »Ich wundere mich, daß dir mein Name überhaupt noch geläufig ist. Hatte schon damit gerechnet, gar nicht mehr erkannt zu werden.«

»Was willst du hier?« fragte sie ihn schroff.

»Was für ein Ton! Empfängt man so einen Freund?«

»Wie bist du hereingekommen?«

»Wie denn wohl? Durch die Tür.«

»Ich weiß genau, daß ich sie abgeschlossen hatte.«

»Wenn du das so genau weißt, dann muß ich sie wohl aufgesperrt haben.«

Sie blickte ihn fassungslos an. »Mit welchem Schlüssel?«

»Mit einem der meinen.«

»Das mußt du mir schon genauer erklären.«

»Siehst du«, sagte er grinsend, wobei er aus seiner Tasche einen Bund mit sechs oder acht Schlüsseln zum Vorschein brachte, »ich verfüge davon über mehrere Exemplare. Auf Aarfeld, diesem alten Gemäuer, gibt's viele Schlösser, nicht die besten, genau wie das deine hier. Das war meine Theorie. Von ihr ging ich über zur Praxis und startete hier einige Versuche. Schon der dritte führte zum Erfolg.«

Marianne rang buchstäblich nach Luft. »Siegurd«, sagte sie mit gepreßter Stimme, »du weißt doch, was du da gemacht hast? Du hast eingebrochen!«

»Welch hartes Wort!« Sein Lächeln war widerlich glatt. »Nimm mich als modernen Troubadour. – Einbruch aus Liebe. – Leidenschaft kennt keine Fesseln. – Ich hatte Sehnsucht nach dir.«

»Was willst du?«

Marianne war an der Tür stehen geblieben, jeden Augenblick dazu bereit, die Tür wieder aufzureißen und sich abzusetzen, wenn er sich ihr nähern sollte. Siegurd schien das zu erkennen und blieb sitzen, aber um seinen lächelnden Mund erschien ein grausamer, harter Zug.

»Diese Frage stellst du jetzt zum zweitenmal. Ich sagte es inzwischen schon: Ich hatte Sehnsucht nach deinen Küssen.«

»Das ist vorbei. Ich will nicht mehr daran erinnert werden.«

»Und du meinst, damit ist der Fall erledigt?«

»Warum nicht?«

»Weil man einen Baron Aarfeld nicht in dieser Weise abserviert, du Luder«, explodierte er. »Was glaubst du denn eigentlich, wer du bist, du Kröte? Du kannst dein ganzes kleines, miserables Leben lang nur stolz darauf sein, daß dich ein Edelmann angefaßt hat. Hattest du dir denn überhaupt die Zähne geputzt, ehe du es wagtest, mich zu küssen?«

Marianne fing an zu zittern. »Verlassen Sie sofort mein Zimmer! Augenblicklich, sonst schreie ich!«

»Schrei doch. Weißt du, was ich denen dann erzähle? Daß du mich in dein Zimmer gelockt hast und gemein wurdest, weil mir die Bezahlung, die du gefordert hast, zu hoch war. Du kannst es ja darauf ankommen lassen, wem man glauben wird – dir oder einem Baron?«

»Du . . . du Schwein!«

»Danke.« Er verbeugte sich spöttisch im Sitzen. »Solche Schmeicheleien höre ich öfter. Wie mir scheint, hat mein Bruder Pedro, der stille Träumer mit den Märchenaugen, der Mann mit der tiefen Seele, einen großen Eindruck auf dich gemacht, dir sozusagen die Unterschiede der Aarfelds bewußt gemacht. Und nun träumst du vielleicht gar davon, Herrin auf Aarfeld zu werden, du kleine Goldgräberin. Ja, stimmt's? Aber das werde ich dir versalzen. Sicher wäre Pedro, der Majoratsherr, der keine Zeit zu verlieren hat, eine Frau zu finden, wenn er im Besitz des Erbes bleiben will, eine gute Partie für eine kleine Kokotte, aber . . .«

»Hinaus!«

». . . aber ich werde ihm die Augen öffnen, werde ihm sagen, wie du's in jenem Ohio-Séparée mit mir getrieben hast. Dafür gibt's Zeugen, die Kellner nämlich, und schon *ein* Kuß ist in den Augen meines stinkseriösen Bruders etwas ganz anderes als anscheinend hundert Küsse in den deinen, das kannst du mir glauben. Sollte er aber immer noch nicht genughaben, werde ich ihm erzählen, welchen Kampf es mich gekostet hat, mich von dir, als ich dich nach Hause brachte, nicht in dein Zimmer mit hineinziehen zu lassen. Wenn er das hört, bist du in seinen Augen ganz sicher nur noch eine Dir . . .«

Er hatte das Wort noch nicht ganz ausgesprochen, als Marianne schon mit einem Satz vor ihm stand und mit der ganzen Kraft, die ihr Wut und Verachtung verliehen, zuschlug und klatschend seine Backe traf.

Sie hatte ihn überrascht, so daß er gar nicht dazugekommen war, den Schlag abzuwehren.

Stumm, mit lodernden Augen blieb er noch zwei, drei Sekunden lang sitzen, dann aber sprang er ruckartig auf. Sein Mund war verzerrt. Wie eine Fratze sah sein Gesicht aus, wie eine diabolische, schauderhafte Fratze.

»Das wirst du mir büßen«, preßte er zwischen den Zähnen hervor. »Auf den Knien wirst du liegen und wimmern und mich anflehen, diesen Schlag zu vergessen . . .«

Er riß Mantel und Hut an sich, die auf der Bettcouch lagen, und eilte zur Tür. Auf der Schwelle drehte er sich noch einmal um und blickte haßerfüllt auf Marianne, die zitternd im Zimmer stand. »Ich spreche heute abend noch mit Pedro. Und wenn du wieder auf dem Gut erscheinen solltest – ob mit oder ohne Dr. Faber –, werde ich die Jagdhunde auf dich hetzen, und niemand, kein Pedro, wird mich daran hindern können.«

Die Wut sprach aus ihm, sonst wäre ihm selbst auch klar gewesen, wie lächerlich er übertrieb.

Er warf die Tür hinter sich ins Schloß. Marianne hörte seine Schritte auf der Treppe verhallen, dann sah sie ihn über die Straße gehen . . . elegant, beherrscht, ganz Gentleman, der Herr Baron von Aarfeld, ein Adeliger vom Scheitel bis zur Sohle.

Da schlug Marianne die Hände vors Gesicht und fiel weinend auf ihre Couch. Immer und immer wieder wurde ihr Körper von heftigem Schluchzen durchgerüttelt.

»Pedro«, stammelte sie, »ich habe dich verloren, es ist vorbei, für immer vorbei . . . vorbei . . . vorbei . . .«

Sie vergrub ihr tränennasses Gesicht in den Kissen und lag so, bis sie vor Erschöpfung einschlief. Aber selbst im Schlaf noch zuckte bisweilen ihr Körper und kam ein leises Wimmern von ihren bebenden Lippen. Und plötzlich schrie sie auf und schlug wild um sich. Jagdhunde verfolgten sie im Traum.

3

Die Unterredung zwischen den beiden ungleichen Brüdern fand wirklich noch am gleichen Abend statt, nur verlief sie anders, als Siegurd von Aarfeld sich das gedacht hatte. Und nicht er war derjenige, welcher diese Unterredung herbeiführte, sondern sein Bruder Pedro, der schon den ganzen Tag in einer freudigen Hochstimmung herumgelaufen war und mit Humor und guter Laune seine Leute auf dem Gut völlig durcheinandergebracht hatte. Selbst Lulatsch, der sich in seinem langen Dienerleben bereits an allerhand gewöhnt hatte, fand es äußerst bemerkenswert, daß ihm der Herr Baron freundlich auf die Schulter klopfte und sagte: »Lulatsch, du kannst heute abend eine Flasche aus meinem Keller trinken, diesmal mit meinem Wissen und meiner Erlaubnis.« Dabei zwinkerte er, und Lulatsch wurde ganz rot. Teufel, Teufel, dachte er, als er sich entfernte, der weiß also, daß ich ab und zu ein Fläschchen für mich abzweige, und hat mich trotzdem noch nicht zur Rede gestellt. Verdammt großzügig von ihm. Famoser Mensch.

Als Siegurd auf dem Gut eintraf und seine Wohnung aufsuchen wollte, kreuzte Lulatsch seinen Weg und teilte ihm mit, daß sein Bruder ihn im Herrenzimmer zu sehen wünsche.

»Da bin ich«, sagte Siegurd zu Pedro. »Was gibt's?«

Pedro wirkte etwas feierlich. Siegurd war überrascht. Der Duft einer guten Zigarre durchdrang das Zimmer.

»Willst du mir etwa mitteilen«, fuhr Siegurd fort, »daß du die Absicht hast, dich ganz deiner Malerei zu widmen und mir das Gut an den schmerzenden Hals zu hängen?«

Das Lächeln, das seine Worte begleitete, war alles andere als echt.

Pedro blickte ihn kurz an, paffte eine Zigarrenwolke in die Luft und erwiderte: »Nein, im Gegenteil, ich setze dich hiermit davon in Kenntnis, daß ich heiraten werde. Die Konsequenzen, die sich daraus ergeben, sind dir bekannt.«

Siegurd hatte kaum mit Überraschung zu kämpfen.

»Wen«, fragte er lauernd, »willst du heiraten? Die Klett?«

Nun war aber Pedro perplex. »Woher weißt du das?«

»Die ganze Umgebung spricht doch schon davon, wie sie dich umgarnt.«

»So?«

»Sie will sich dich unter den Nagel reißen, sagen alle.«

Pedro legte die Zigarre auf den Aschenbecher, atmete tief ein und erwiderte dann mit drohendem Unterton in der Stimme: »Ich möchte jedem raten, ab sofort nicht mehr so von meiner zukünftigen Frau zu sprechen. Das kannst du allgemein bekanntgeben.«

»Pedro«, sagte Siegurd, der erkannte, daß hier schweres Geschütz aufgefahren werden mußte, »ich muß dir über die die Augen öffnen . . .«

»Wie bitte?«

»Ich kenne sie besser als du, ich komme soeben aus ihrer Wohnung.«

»Aus Ihrer Wohnung? Wie kommst du in ihre Wohnung? Was hast du überhaupt mit ihr zu schaffen?«

»Dumme Frage. Sie hat es eben auch auf mich angelegt, und zwar schon länger.«

Aus Pedros Gesicht wich die Farbe. Langsam erhob er sich.

»Bist du bereit«, fragte er, »deine Behauptungen auch vor Fräulein Klett zu wiederholen?«

»Selbstverständlich. Sei aber nicht überrascht, wenn sie alles ableugnet. Das ist doch das übliche. Du wirst dich dann entscheiden müssen, wem du glaubst: deinem Bruder oder dieser Person.«

»Fräulein Klett ist keine ›Person‹, ich warne dich. *Noch* genießt sie meinen Schutz . . .«

»Nicht mehr lange. Ich kann dir nämlich mit Beweisen aufwarten, mit Zeugen . . .«

»Mit welchen Zeugen?«

»Mit Kellnern aus der Ohio-Bar. Sie kennen dich.«

»Aber *ich* kenne *die* nicht! Ich verkehre nicht in solchen Löchern, dazu ist mir meine Zeit zu schade!«

Auf Siegurds Gesicht breitete sich Hohn aus. »Fräulein Klett verkehrt in solchen Löchern . . .«

»Etwa zusammen mit dir?«

»Erraten.«

»Und?«

»Und führt sich dementsprechend auf.«

Pedro ging zum Fenster, blickte ein Weilchen hinaus, drehte sich dann um zu Siegurd und sagte gefährlich ruhig: »Ich will jetzt wissen, was passiert ist . . .«

»Frag die Kellner.«

»Ich will es von dir wissen.«

»Sie hat mir die Kleidung halb vom Leib gerissen.«

Pedro wurde noch blasser. »Können das die Kellner bezeugen?«

»Meiner Ansicht nach ja. Es ist aber möglich, daß ihre Ansichten darüber auseinandergehen. Das ist ja immer so: Dem einen genügt ein Knopf, der aufgeknöpft wird, der andere verlangt, daß die ganze Hose gefallen ist.«

»Konkret: Was können die Kellner bezeugen?«

»Daß sie mich geküßt hat.«

»Geküßt?«

»Und wie! Da blieb kein Auge trocken! Ich hatte alle Hände voll zu tun, mich ihrer zu erwehren!«

Seltsamerweise schien Pedro daraufhin etwas erleichtert. Er ging zweimal im Zimmer auf und ab und blieb plötzlich vor Siegurd stehen. »War sie betrunken, als sie dich küßte?«

»Wie ... wieso?« stieß Siegurd hervor. Die Frage kam ihm überraschend. Er hatte nicht mit ihr gerechnet.

»Weil es mich interessiert, was du ihr eingeflößt hast.«

»Eingeflößt? Das war nicht nötig, frag die Kellner.«

»Was hattet ihr getrunken?«

»Zusammen eine Flasche Burgunder.«

»Und?«

»Und jeder einen Martini.«

»Und?«

»Und vier Manhattan.«

»Zusammen oder jeder?«

»Jeder, aber was soll das, worauf willst du hinaus?« erregte sich Siegurd, dem dieses Verhör verständlicherweise auf die Nerven ging.

»Ich möchte sehen, wessen du fähig bist, um dir eine Dame gefügig zu machen.«

Siegurd verlor die Beherrschung.

»Einer Dame?!« schrie er. »Sag ›einer Dirne‹, dann stimmt's!«

Das war das zweitemal, daß dem jungen Baron von Aarfeld an diesem Tage ins Gesicht geschlagen wurde. Es war aber keine schwache Ohrfeige mehr, von mehr oder minder zarter Frauenhand, sondern ein wuchtiger Hieb, der ihn gegen den Schrank schleuderte, an den er sich anklammern mußte, um nicht umzusinken. Mit lodernden Augen stand Pedro vor ihm, einen Kopf größer, ein Riese, der sich der Kraft seiner Muskeln wohl bewußt war und ankündigte, daß er sich nicht scheuen würde, beim geringsten noch einmal zuzuschlagen.

»Noch ein solches Wort, und dich holt der Teufel, das sage ich dir!«

Siegurd war zwar benommen, aber soviel konnte er erkennen, daß seine Gesundheit, soweit sie ohnehin nicht schon geschädigt war, an einem seidenen Faden hing. Er wich vor Pedro zurück, retirierte zur Tür, während er sich mit einem rasch hervorgezogenen seidenen Taschentuch das Blut von den aufgesprungenen Lippen wischte. Auf der Schwelle blieb er noch einmal stehen und sagte: »Das wirst du mir büßen! Mich prügelt man nicht wie einen Hund, laß dir nur Zeit!«

»Hau ab! Am besten verschwindest du ganz vom Gut! Hier bist du von jeher zu nichts nütze!«

Mit lautem Krach schlug Siegurd die schwere Eichentür hinter sich zu, und Pedro sank, nachdem er einen Blick auf die Zigarre geworfen und gesehen hatte, daß sie ausgegangen war, in seinen Ledersessel. Er wischte sich über die Stirn, als wollte er in seinem Kopf das, was sich hier ereignet hatte, auslöschen. So saß er eine Viertelstunde lang, bis er des Aufruhrs in seinem Inneren langsam Herr wurde.

Lulatsch klopfte an die Tür und meldete konsterniert, daß der junge Herr Baron unter Mitnahme des größeren der beiden Wagen das Gut verlassen habe. »Ich fühle mich verpflichtet«, fügte er hinzu, »Ihnen mitzuteilen, was er gesagt hat, Herr Baron . . .«

»Was denn?«

»Das ganze Gut gehöre in die Luft gesprengt, mit Ihnen an der Spitze, Herr Baron. Er könne nur jedem raten, möglichst bald von hier zu verschwinden.«

»Lulatsch«, sagte Pedro bedrückt, »du weißt, was sich für einen guten Diener gehört . . .«

»Ich hoffe es.«

»Mein Bruder ist verrückt. Wir hatten eine Auseinandersetzung. Er redet dummes Zeug, wenn er sich aufregt. Manchmal läßt es sich nicht vermeiden, daß ein Diener davon etwas mitbekommt. Und dann zeigt sich der Unterschied zwischen einem guten Diener und einem schlechten. Ein schlechter Diener quatscht herum, ein guter kann sich schon eine Minute später nicht mehr an das geringste erinnern. Wieviel Uhr haben wir jetzt, Lulatsch?«

»Eine Minute später, Herr Baron.«

»Danke.«

»Keine Ursache, Herr Baron.«

Pedro erhob sich.

»Ich fahre noch in die Stadt. Hol mir bitte meinen Wagen aus der Garage.«

»Den Ihren?«

»Ja, natürlich.«

»Herr Baron, ich sagte Ihnen doch, daß der junge Herr Baron mit dem großen Wagen . . .«

»Wann sagtest du mir das?«

»Soeben.«

Lulatsch wunderte sich. Die müssen ja ganz schön gestritten haben, dachte er. Durcheinander sind sie jedenfalls beide.

»Und was ist mit dem Opel, Lulatsch?«

»Der steht zur Verfügung, Herr Baron.«

»Dann bring mir den.«

»Sehr wohl, Herr Baron. Sind Sie notfalls zu erreichen? Wollen Sie mir eine Adresse hinterlassen?«

»Nein.«

Lulatsch nickte und machte kehrt, um sich zu entfernen.

»Oder doch, Lulatsch: Ich bin bei Dr. Faber.«

Pedro von Aarfeld brauste durch die Nacht. Seine starken Scheinwerfer fraßen einen grellen langen Streifen aus der Dunkelheit vor ihm und ließen die Alleebäume fast weiß erscheinen. Mit der linken Hand steuerte er den Wagen, in der rechten hielt er eine Zigarette, die zitterte. Dies zeigte den Grad seiner inneren Erregung und Spannung an.

Ich muß das alles heute abend noch klären, dachte er. Ich muß Dr. Faber sprechen, auch Marianne. Jahre hatte ich Zeit, mich um meine Verhältnisse zu kümmern . . . und habe mich um nichts gekümmert. Nur um meine Malerei, aber nicht um die Erhaltung meines Erbes. Und jetzt drängt sich alles praktisch auf Stunden zusammen. Es bleibt mir jedoch nichts anderes übrig, ich muß die Entscheidung fällen.

Übers Lenkrad gebeugt, starrte er auf die helle, von den Scheinwerfern der Dunkelheit entrissene Decke der nächtlichen Straße vor sich.

Marianne, dachte er, und es wurde ihm plötzlich heiß ums Herz und in der Kehle. Marianne – hast du deshalb nein gesagt? Ich will es wissen . . . heute noch . . . denn ich liebe dich.

Dr. Edmund Faber saß noch in seinem Arbeitszimmer, als unten vor dem Haus die Bremsen eines Wagens quietschten und kurz darauf bei ihm die Klingel ertönte.

»Nanu?« fragte er sich selbst. »Wer kann denn das noch sein?«

Kopfschüttelnd erhob er sich, stieg die Treppe hinunter und knipste die Außenbeleuchtung über der Haustür an. Dann öffnete er ein vergittertes Fensterchen in der dicken Tür und spähte hinaus. »Sie?« rief er überrascht, als er das Gesicht des Barons Pedro von Aarfeld entdeckte, der mit nervösem Ausdruck draußen stand. Rasch schloß er die Tür auf und bat Pedro herein.

»Was ist denn los bei Ihnen, wo brennt's?«

Der Baron schwieg. Er kannte sich im Haus aus und lief stumm hinauf ins Arbeitszimmer, in dessen Fenster das Licht gebrannt und dem Baron schon draußen gezeigt hatte, wo der Hausherr zu dieser Stunde sich noch aufhielt. Oben ließ sich Pedro in einen Sessel fallen, erst dann sagte er zu Dr. Faber, der ihm kopfschüttelnd gefolgt war: »Ich hätte fast meinen Bruder erschlagen.«

»Um Gottes willen! Wieso?«

Pedro erstattete Bericht.

»Und jetzt«, schloß er, »stößt er wilde Drohungen aus, mit denen er mich allerdings keineswegs erschrecken kann. Nur fürchte ich, daß er vielleicht auch noch Fräulein Klett in die Sache mit hineinzieht, wissen Sie.«

»Dazu gehören zwei: einer, der zieht, und eine, die sich ziehen läßt.«

»Und letzteres glauben Sie, wenn ich Sie recht verstehe, von Fräulein Klett nicht?«

»Nein.«

Pedro seufzte. »Da bin ich nicht so ganz sicher.«

Dr. Faber blickte ihn erstaunt an. »Warum nicht?«

Pedro seufzte ein zweites Mal und antwortete: »Ich muß zumindest auch die Möglichkeit in Betracht ziehen, daß Fräulein Klett auf der Seite meines Bruders steht . . .«

»Ach was!«

»Doktor, ich muß Sie da in etwas einweihen, das Sie bis jetzt noch nicht wissen. Fräulein Klett hat mich enttäuscht . . .«

»Wieso?«

»Sie empfängt meinen Bruder in ihrer Wohnung . . .«

»›Empfängt‹, sagen Sie? Das glaube ich nicht so ganz. Da müßte ich erst einmal mit ihr selbst reden.«

»Auf jeden Fall war sie mit ihm in der Ohio-Bar.«

»Das weiß ich.«

»Sie wissen das?« stieß Pedro überrascht hervor. »Von wem?«

»Von ihr selbst.«

»Von Marianne?«

»Ja, sie hat es mir gesagt, schon am nächsten Tag.«

»Alles wird sie Ihnen nicht gesagt haben, Doktor, z. B. wird sie Ihnen nicht gesagt haben, daß sie meinen Bruder auch . . .«

». . . geküßt hat, doch, auch das hat sie mir gesagt«, fiel Dr. Faber ein und amüsierte sich über Pedros perplexen Gesichtsausdruck.

Das Haustelefon läutete in diesem Augenblick. Fabers Wirtschafterin wollte wissen, wie es heute mit dem Abendessen stünde. Der vage Bescheid, den sie erhielt, ließ sie innerlich ihren schon mehrmals gefaßten Entschluß, ihre derzeitige Stellung zu kündigen, erneuern.

»Wo waren wir stehen geblieben?« fragte Dr. Faber den Baron, als er den Hörer auflegte. »Richtig, ja, bei den Küssen. Es war nicht nur einer, beichtete sie mir. Mir lief, gestehe ich, das Wasser im Mund zusammen.«

»Doktor, mir ist nicht nach Witzen zumute . . .«

»Und zuletzt wollte sie von mir noch wissen, was eine Nymphomanin ist.«

»Wie bitte?«

»Eine Nymphomanin.«

Pedro räusperte sich. »Doktor . . .«

»Hören Sie zu«, wurde er von Faber unterbrochen, der mit sich kämpfen mußte, um nicht über Pedros Mienenspiel der Entrüstung in schallendes Gelächter auszubrechen, »was geht Sie eigentlich, entschuldigen Sie die harte Frage, das Privatleben von Fräulein Klett an? Haben Sie irgendwelche Rechte auf sie?«

»Ich denke schon.«

»Seit wann?«

»Seit . . . seit heute . . . nein, seit gestern.«

»Eine enorme Zeit.« Nun platzte aber Dr. Faber doch heraus und rieb sich die Tränen aus den Augen, nachdem er herzlich gelacht hatte. Dann setzte er hinzu: »Auf alle Fälle liegt dieser Ohio-Besuch weiter in der Vergangenheit zurück, das steht zweifelsfrei fest, oder?«

»Zugegeben, Doktor, und ich weiß auch, daß Fräulein Klett angeheitert war, das erklärt vieles – aber trotzdem darf ich von meiner zukünftigen Frau erwarten, daß sie sich auch in animierter Stimmung reserviert verhält. Das hat sie nicht getan, und dieser Stachel sitzt in meinem Fleisch, wenn ich auch zu meinem Bruder etwas ganz anderes gesagt habe.«

Darauf hatte Dr. Faber nur eine Frage: »Baron Aarfeld, in welcher Zeit leben Sie eigentlich?«

Und als Pedro verbissen schwieg, entschloß sich Faber, ihm einmal richtig die Leviten zu lesen. Und wenn mich das die Freundschaft mit diesem Mann kostet, dachte er.

»Wissen Sie was?« legte er los. »Wenn ich die Klett wäre, würde ich gerne auf Sie verzichten. Sie sprechen von Ihrer ›zukünftigen Frau‹, Sie meinen es also ernst. Na, danke! Was hat denn eine an Ihrer Seite zu erwarten? Einengung, Diktatur, mittelalterliche Anschauungen, Freiheitsberaubung, womöglich noch alten Adelsstolz und den Keuschheitsgürtel wie bei den Kreuzfahrern . . . Moment, unterbrechen Sie mich nicht, ich bin noch nicht fertig. Was bedeutet denn heute noch ›alter Adel‹? Wer fragt heute noch danach, ob Ihre Vorfahren an einem Tisch mit Karl dem Großen saßen oder mit Pippin dem Kurzen auf die Jagd gingen? Auch die Freundschaft Ihres Ahnherrn Sebastian mit Otto dem Bärtigen interessiert heute nur noch die Familienforscher; die breite Masse pfeift darauf. Was Sie *heute* darstellen, *das* ist maßgeblich! Wenn Sie *heute* mit beiden Beinen im Leben stehen, wenn Sie anpacken, wenn Sie einem Erdarbeiter genauso gern die Hand geben, wie Sie die einer Komtesse küssen, *dann* sind Sie richtig! Mit mittelalterlichen Ansichten aber, mit Standesdünkel, mit den Allüren eines Perückenedelmannes, der alten

Gemälden entsprungen ist, sind Sie heute nur noch ein lebender Witz, der herumläuft. Als solcher heiraten Sie besser nie, zum Segen jeder Unglücklichen, die Ihnen in die Hände fallen könnte.«

Dr. Faber verstummte. Es blieb eine Weile still. Die beiden Männer sahen einander schweigend an.

»Danke«, krächzte Pedro von Aarfeld endlich.

»Bitte, keine Ursache«, antwortete Faber. »Sind wir jetzt geschiedene Leute?«

»Wieso?« fragte Pedro, nachdem er sich die Stimme freigeräuspert hatte.

»Weil ich mir vorstellen könnte, daß Sie nun zutiefst beleidigt sind; daß Sie die Nase voll haben von mir.«

In Pedros Gesicht arbeitete es, und plötzlich obsiegte ein Lächeln, das sich in seine Züge stahl.

»Im Gegenteil, lieber Doktor«, versicherte er. »Ich finde, daß mir das einmal gesagt werden mußte.«

Er erhob sich und streckte sich. Er wirkte wie befreit. Er setzte hinzu: »Und ich verspreche Ihnen, mich grundlegend zu bessern. Als erstes werde ich mit Marianne sprechen, das hatte ich ohnehin vor – aber nun wird es in ganz anderer Form geschehen: Ich werde nicht erwähnen, daß ich von ihrer Affäre weiß.«

Dr. Faber hob warnend den Zeigefinger. »Affäre! Schon wieder so ein dummes Wort aus dem Sprachschatz vergangener Zeiten! Marianne Klett hatte einen Schwips und ließ sich von einem Windhund aufs Glatteis führen – mehr nicht! Sie rutschte aus, aber eingebrochen ist sie nicht. Im übrigen hatte sie, wenn Sie das tröstet, enorme Gewissensbisse. Sie war ganz zerknirscht, als sie mir die Sache schilderte. Sie hätte es doch überhaupt nicht nötig gehabt, mir davon auch nur ein Wort zu erzählen. Daß sie es tat, ist doch schon bezeichnend genug, finden Sie nicht auch?«

»Doktor«, rief Pedro mit erhobenen Händen, wie um sich zu schützen, »fangen Sie nicht schon wieder an, mir den Kopf zu waschen! Ich will ja gar nichts mehr gesagt haben.«

»Nehmen Sie Ihre Marianne in die Arme und sagen Sie ihr: ›Mädchen, komm, pack deine Sachen, zieh zu mir nach Aarfeld, es wird geheiratet.‹ So macht man das heutzutage, *das* ist ein moderner Antrag!«

Pedro von Aarfeld, der stolze Baron, konnte nicht anders, er mußte herzlich lachen.

»Und wissen Sie«, fuhr Faber fort, »daß es, wenn ich Ihnen einen solchen Ratschlag gebe, das eigene Fleisch ist, in das ich mich schneide?«

»Warum?«

»Weil ich eine ausgezeichnete Sekretärin verliere, deren Qualitäten ich in ganz kurzer Zeit zu schätzen gelernt habe. Weiß der Teufel, was mir nach ihr wieder ins Haus steht.«

»Darf ich Ihnen zum Trost eine Flasche Wein spendieren, Doktor?«

»Gern. Haben Sie eine dabei?«

»Nein. Ich dachte an eine aus Ihrem Keller.«

»Ach so!«

Beide lachten, und es wurde noch ein vergnügter Herrenabend. Zuletzt bezog Pedro ein Bett in Fabers Gästezimmer, um den Führerschein keiner Gefahr auszusetzen.

Marianne Klett erschien am nächsten Morgen, wie immer, Punkt acht Uhr vor Dr. Fabers Geschäft. Sie schloß die Ladentür auf, stieß die schweren Eisengitter vor den Schaufenstern hoch, stellte die Tagessignalanlage an und setzte sich im Büro an ihre Schreibmaschine. Sie wunderte sich, daß Dr. Faber ausblieb. Das war sie von ihrem Chef nicht gewöhnt.

Auf ihrem Platz fand sie eine neue Liste für den Katalog, die sie abzuschreiben hatte. Das war rasch geschehen, und sie sah sich um, entdeckte aber nichts anderes, was Dr. Faber für sie noch zur

Erledigung bereitgelegt hätte. Sie ging deshalb in den Laden und setzte sich hinter die Glastheke, wo sie etwas zerstreut in einem Kunstbuch blätterte.

Wo bleibt er denn? dachte sie.

Das Büro hatte zwei Eingänge, einen vom Laden her und einen separaten. Plötzlich hörte sie die separate Tür gehen. Dr. Faber war erschienen.

Marianne vernahm seine Stimme, die rief: »Fräulein Klett – Stenogramm!«

Dann ging wieder die separate Tür, und Fabers Schritte verklangen auf der Treppe nach oben.

Nanu, dachte Marianne, Stenogramm in seinem Arbeitszimmer? Das ist ja etwas ganz Neues. Muß eine wichtige Sache sein.

Sie eilte ins Büro, nahm Block und Bleistift, warf in einem Spiegel an der Wand einen prüfenden Blick auf ihr Gesicht und lief dann die Treppe hinauf. Sie klopfte kurz und trat ein.

Ihr erster Blick fiel auf den Schreibtisch – er war leer. Erstaunt wandte sie sich um. Da stand beim Schrank ein großer, breiter Mann und streckte ihr beide Hände entgegen.

»Pedro . . .«, stammelte sie.

Sie wußte nicht, ob sie erschrocken sein oder sich freuen sollte. Hatte Siegurd schon mit ihm gesprochen? Wahrscheinlich ja.

»Marianne . . .«

Er hielt die Arme ausgebreitet und wartete darauf, daß sie sich hineinstürzte. Sie tat es nicht, sondern fragte: »Du kommst zu mir, Pedro?«

»Sollte ich nicht?«

»Hat . . . hat dein Bruder schon mit dir gesprochen?«

»Ja, gestern.«

»Und . . . und trotzdem kommst du?«

»Trotzdem.«

»Was hat . . . hat er dir denn erzählt?«

»Alles.«

»Alles? Und das macht dir nichts aus?«

In Mariannes Gesicht ging zögernd die Sonne auf.

»Was soll mir denn etwas ausmachen, mein Engel? Ich bin doch keiner aus dem Mittelalter.«

»Pedro!« Plötzlich löste sich ihre Lähmung, und sie sprang auf ihn zu. »Pedro, ich liebe dich!«

Er fing sie auf, und die gegenseitigen Küsse, mit denen die beiden sich bedachten, stellten alles in den Schatten, was ein Siegurd von Aarfeld je in seinem Leben auf diesem Gebiete erfahren hatte.

»Liebling«, sagte Pedro, als sie ihn endlich wieder zu Atem kommen ließ, »ich darf dir natürlich nicht vorenthalten, daß ich ihn aus dem Haus gejagt habe . . .«

»Wen?«

»Deinen zukünftigen Schwager.«

»Zukünftigen Schwager? War das etwa ein Heiratsantrag, den du mir da soeben gemacht hast?«

»Ich kann's dir auch anders sagen: Mädchen, pack deine Sachen, zieh zu mir nach Aarfeld, es wird geheiratet.«

»Pedro!!«

Ein neues Küsse-Gewitter entlud sich, doch dann sagte Marianne: »Du hast ihn aus dem Haus gejagt?«

»Ja, er hat dich beleidigt, ich schlug ihn blutig, nun haßt er mich.«

»Mich wohl auch.«

»Dich, mich, das ganze Gut, alles.«

»Ich fürchte ihn, Pedro.«

»Dazu hast du keinen Grund, mein Engel«, sagte er leichthin. »Du stehst unter meinem Schutz. Mit dem werde ich allemal fertig.«

Schon Minuten später dachte Pedro von Aarfeld darüber

anders.

Ein Telefon läutete irgendwo im Haus. Die beiden hörten, wie Dr. Faber abhob und sich meldete; dann rief seine Stimme von unten herauf: »Aarfeld am Apparat! Sie werden dringend verlangt, Baron!«

Pedro und Marianne liefen die Treppe hinunter ins Büro, und er ließ sich von Faber den Hörer, den ihm dieser entgegenhielt, geben. Dann wurde er plötzlich blaß und stützte sich, um nicht zu wanken, mit seiner freien Hand schwer auf den Schreibtisch. Erschrocken bemerkten der Kunsthändler und Marianne die Veränderung an ihm.

»Nicht möglich!« schrie er in die Muschel.

Dann lauschte er noch einmal kurz, ließ den Hörer sinken, wandte sich um zu Marianne und Faber und stieß hervor: »Das Gut brennt!«

»Nein!« schrie Marianne auf und klammerte sich an ihn.

Er nickte zum Apparat. »Lulatsch war dran. Alle Feuerwehren der ganzen Umgebung sind schon alarmiert. In der Scheune hat es begonnen. Angeblich Selbstentzündung des Heus ...«

Dieses ›angeblich‹ hing schwer im Raum.

»Siegurd?« sagte denn auch fragend Dr. Faber schon nach wenigen Sekunden.

Pedro schwieg. Man sah aber, wie es in seinem Gesicht arbeitete. Seine Backenknochen bewegten sich, die Zähne mahlten, die aufeinandergepreßten Lippen waren dünne Striche.

»Ich muß los!« stieß er plötzlich hervor und wandte sich zum Ausgang.

Auch in Fabers Gestalt kam Leben. »Wir begleiten Sie!« rief er, Mantel und Hut vom Haken reißend. »Marianne, schließen Sie rasch den Laden, der bleibt heute zu!«

Pedros Wagen brachte die drei nach Aarfeld. Es war eine Höllenfahrt. Faber saß hinten im Fond, Marianne vorne neben Pedro und starrte durch die Frontscheibe auf das heranschießende und unter dem Kühler verschwindende Band der Straße, die nicht enden wollte. Pedros Fuß drückte das Gaspedal ständig durch bis zum Anschlag.

Es ist meine Schuld, sagte sich Marianne. Ich habe alles ausgelöst. Nur aus Rache hat Siegurd das getan. So wahr ich aber jetzt neben Pedro sitze, werde ich ihn dafür zur Verantwortung ziehen mit dem ganzen Haß, dessen nur eine Frau fähig ist. Ich fürchte ihn nicht mehr, ich hasse, hasse, hasse ihn – nicht weil er mir, sondern weil er Pedro das angetan hat.

Mit quietschenden Reifen ging der Wagen in die Kurven, jagte über den Asphalt, hüpfte über die Schlaglöcher des schlechteren Teils der Strecke. Starr saß Pedro am Steuer, nur seine Arme und sein Gasfuß arbeiteten.

Gut Aarfeld brennt!

Das Erbe der Väter!

Das Majorat!

Um die gleiche Zeit saß Siegurd von Aarfeld im Salon der Freiin Mathilde von Bahrenhof und las die Morgenzeitung. Mathilde lehnte am Fenster und schaute hinaus auf den Gutshof, wo zwei Knechte die Pferde zur Koppel trieben.

Sie drehte sich um und blickte ins Zimmer.

»Ich habe dich heute nacht gar nicht wahrgenommen«, sagte sie. »Wann bist du denn eigentlich gekommen?«

»Spät.«

»Und du hast mich nicht geweckt?«

»Nein.«

»Warum nicht?«

Er zuckte die Schultern, ohne aus seiner Zeitung aufzublicken.

Ein solches Maß an Mißachtung und Einsilbigkeit ging ihr entschieden gegen den Strich. Rasch trat sie vor ihn hin, schlug von oben mitten durch die ausgebreitete Zeitung, zerteilte sie dadurch in zwei Hälften und fuhr ihn an: »Ich spreche mit dir! Was ist vorgefallen? Das will ich jetzt wissen! Ich kenne dich doch und weiß, daß etwas passiert sein muß!«

»Man hat mich rausgeschmissen, meine Liebe.«

»Rausgeschmissen? Aus der Ohio-Bar?«

»Aus Aarfeld.«

Mathilde glaubte nicht recht zu hören. »Aus dem Gut? Wer hat dich da rausgeschmissen?«

»Dumme Frage. Denkst du ein Knecht oder eine Dienstmagd?«

»Dein Bruder?« Sie wollte es immer noch nicht für wahr halten. »Das ist doch nicht möglich!«

»Doch, doch, meine Liebe. Vor dir sitzt ein Asyl-Suchender.«

Mathilde sank auf einen Lederhocker, der gerade hinter ihr stand. »Und du hast das mit dir machen lassen?«

Er schwieg.

Keine Antwort ist auch eine Antwort, sagte sie sich und explodierte: »Du Schlappschwanz!«

Er zuckte zusammen wie unter einem Peitschenhieb.

»Halt's Maul!« fuhr er ihr grob über den Mund, den sie sich aber nicht verbieten ließ.

»Was bist du denn sonst? Du verzichtest doch damit auf Aarfeld?«

»Haben wir uns nicht geeinigt auf gewisse Bemühungen, die du diesbezüglich walten läßt?«

»Doch, das haben wir«, besann sie sich. »Aber dazu müßte ich den Hampelmann öfter sehen, was seit Tagen nicht mehr der Fall war. Er weicht mir aus. Er gibt mir keine Gelegenheit, meine Netze nach ihm auszuwerfen.«

»Er ist hinter dieser Tippse her. Wenn du dich nicht tummelst, sticht sie dich aus.«

Die Freiin von Bahrenhof, ohne Zweifel eine sehr schöne Frau, lief dunkelrot an. War denn diese schnöde Welt dabei, gänzlich aus den Fugen zu geraten? Eine Schreibmaschinenklopferin? Eine Achtstundensklavin? Eine, die im Büro die Topfpflanzen goß? Die dem Chef in den Mantel half? Ein solches Wesen durfte doch überhaupt nicht zur Kenntnis genommen werden. Aber sie drohte sogar das Rennen zu machen! Gegen eine Edeldame! Ausgeschlossen! Das durfte Gott nicht wollen!

»Siegurd«, schwor Mathilde von Bahrenhof, »der grabe ich das Wasser ab, laß dir nur Zeit.«

»Zeit, meine Liebe, ist das, was du dazu am wenigsten hast.«

Draußen auf dem Hof wurde Hufgetrappel laut. Von einem schweißnassen Pferd sprang ein rußgeschwärzter Reiter, lief die Freitreppe hinauf und klopfte kurz darauf an die Tür des Salons. Erschrocken starrte ihn die Dame des Hauses an, während Siegurd aufsprang und ihm entgegeneilte.

»Paul!« rief er. »Was ist los? Wie siehst du aus? Wo kommst du her?«

»Unser Gut brennt, Herr Baron«, keuchte Paul, einer der Pferdeknechte auf Aarfeld.

»Das Gut brennt?« Siegurd blickte den Knecht ungläubig an, aber der Ruß in dessen Gesicht überzeugte ihn von der Wahrheit der Hiobsbotschaft. »Wo ist mein Bruder? Schickt er dich?«

»Nein. Er ist seit gestern in der Stadt. Lulatsch hat schon nach ihm telefoniert, aber Sie kennen ja die Strecke. Bis er kommt, wird's noch eine Weile dauern. Inzwischen bin ich aus eigenem Entschluß losgeritten, um Sie hier zu suchen.«

»Sehr gut, Paul! Reite sofort zurück, ich folge mit dem Wagen!«

Der Knecht stürzte aus dem Zimmer. Die Freiin blickte ihm nach. Ein merkwürdiger Ausdruck lag in ihren Augen, seit sie gehört hatte, was sich auf Aarfeld zutrug.

»Wo sind meine Schuhe, mein Jackett?« rief Siegurd, im Zimmer hin und her hastend.

Beides fand er ein Stockwerk höher auf bzw. unter dem Bett, in dem er geschlafen hatte.

»Was rennst du so?« fragte ihn mit spöttischer Stimme Mathilde. »Euer Knecht ist weg, nun kannst du dir das Theater schenken.«

Siegurd blieb wie angewurzelt stehen. »Welches Theater?«

Mathildes Ausdruck in den Augen fand die nötige Aufklärung. Sie antwortete: »Den Brand hast du doch gelegt, mein Schatz.«

»Ich?«

Sie grinste diabolisch und nickte.

Er stieß hervor: »Du bist verrückt. Ich war doch hier!«

»Seit wann? Du sagtest selbst, daß du sehr spät gekommen bist. Außerdem gibt's heutzutage, das habe ich erst kürzlich wieder gelesen, die wunderhübschesten Verzögerungszünder. Verstehst du mich, was ich meine?«

Er starrte sie wortlos an. Und da er nichts sagte, fuhr sie fort: »Ich muß mich entschuldigen bei dir. Du bist keineswegs ein Schlappschwanz. Wie hoch seid ihr versichert?«

»Versichert? Wieso?«

»Weil du dir vermutlich gedacht hast, daß bares Geld, an das wir herankommen könnten, angenehmer ist als wieder nur so ein Bauerngut wie das meine. Sehr richtig, ich stimme dir zu. Aber du hättest doch deine Karten mir gegenüber schon früher aufdekken können, mein Schatz.«

Sein Blick wurde absolut eisig. »Weißt du, was du bist?«

Sie nickte. »Ich glaube, schon.«

»Ein Satansweib bist du!«

»Vergiß das nicht!« rief sie ihm nach, als er aus dem Zimmer stürmte, um sich in seinen Wagen zu werfen.

Schon von weitem sahen Pedro, Marianne und Dr. Faber die Rauchfahne über der Landschaft stehen. Kurz darauf lenkte Pedro den Wagen in einen Pulk von roten Feuerwehrfahrzeugen und hin und her rennenden Männern hinein und hielt mit einem Ruck vor dem großen Tor an.

Der ganze Innenhof lag voller Schläuche, auf fahrbaren Leitern standen die Spritzenmänner und bekämpften mit dicken Wasserstrahlen den Großbrand in der Scheune und den Stallungen, auf die das Feuer auch schon übergegriffen hatte. Zwei Spritzen hielten ständig das Herrenhaus unter Wasser, um ein Überspringen der Flammen auch auf dieses zu verhindern. Die Knechte und Mägde schleppten aus den Stallungen noch immer Geräte heraus, unter hohen Gefahren für ihre Gesundheit, ja ihr Leben. Pedro stoppte als erstes mit lauter Kommandostimme diesen gefährlichen Betrieb.

»Laßt das Zeug, wo es ist!« brüllte er.

Aus der Scheune war ohnehin nichts mehr zu retten, sie stellte ein einziges riesiges Flammenmeer dar, von dem alles Brennbare verzehrt wurde.

Nun sprang Pedro, gefolgt von Dr. Faber und Marianne, die Treppe zum Herrenhaus hinauf. In der Halle stand Lulatsch mit einer Spritze in der Hand und beobachtete die Funken, die an die Parterrefenster flogen. Als er den Baron sah, ging ein sichtliches Aufatmen durch seine lange Gestalt.

Diener durch und durch, ein Mann, der aus seiner Haut nicht heraus konnte, verbeugte er sich automatisch und rief: »Guten Morgen, Herr Baron!«

»Lulatsch, guten Morgen«, antwortete Pedro gezwungenermaßen. »Wer führt hier eigentlich das Kommando?«

»Ihr Herr Bruder, Herr Baron.«

»Wer?«

»Ihr Herr Bruder. Er hat mich hier eingeteilt. In eigener Person befindet er sich seit einer Viertelstunde auf dem Dach und kämpft, weil es dort oben am gefährlichsten ist.«

Pedro blickte Marianne und Dr. Faber an. Versteht ihr das? schien seine stumme Frage zu lauten.

Dann wandte er sich der Treppe nach oben zu. Marianne wollte ihm wieder folgen.

»Du bleibst hier!« rief er ihr über die Schulter zu. »Sie auch, Doktor! Sie sind mir dafür verantwortlich, daß ihr nichts passiert!«

In langen Sätzen hetzte er die Stufen hinauf, lief über den Speicher, kletterte zum Oberboden und zwängte sich durch eine Luke hinaus aufs Dach. Grell und heiß schlug ihm von der Scheune her die flammende Lohe entgegen, es war, als käme er in einen Ofen. Die Luft schien zu kochen. Nach Atem ringend, zwang er sich, weiterzukriechen zum Rand des Daches. Ruß und Schmutz wirbelten ihm ins Gesicht, Funken versengten seinen Anzug. Vor ihm zeichneten sich die Umrisse eines Mannes ab, der aufrecht auf dem Dach stand, diesen lebensgefährlichen Balanceakt nicht scheute, eine Axt und einen großen Einreißhaken in den Händen haltend.

Siegurd.

Ein ganz neuer Siegurd.

Ein Mensch, der dreißig Jahre lang nichts getaugt hatte und sich nun, in der Stunde der Gefahr, zu einem echten von Aarfeld gewandelt hatte. Ganz spontan. Eigentlich ohne es zu wollen. Von einer Minute auf die andere. Der Anblick eines rußgeschwärzten Pferdeknechts hatte einen neuen Menschen, einen wahren Edelmann, zur Welt gebracht.

»Siegurd!« brüllte Pedro. »Zurück! Du stürzt ab!«

Siegurd schaute um, entdeckte den an ihn herankriechenden Bruder, der noch einmal schrie: »Zurück!«

Siegurd schüttelte den Kopf. »Das Dach hier muß eingerissen

werden, sonst geht auch das Haus flöten!«

Er mußte nicht weniger schreien als Pedro, um sich im Prasseln und Brausen der Flammen verständlich zu machen.

Schrecklich sah er aus. Brandblasen bedeckten sein Gesicht, seine Haare waren zum Teil schon versengt, sein Hemd war durchlöchert von Funken, die sich auf die Haut durchgefressen hatten.

Aber er hielt aus, und Pedro blieb bei ihm, weil er ihn nicht dazu bewegen konnte, seinen halsbrecherischen Posten zu verlassen. Zum Glück waren dies die Minuten, in denen die Feuerwehren den Brand in den Stallungen unter Kontrolle bekamen. Und die Flammen der Scheune begannen von selbst zu ermüden, da ihnen bereits alles, von dem sie sich nähren konnten, zum Opfer gefallen war. Das Letzte konnte dadurch verhindert werden. Unversehrt blieben Herrenhaus und Dach, von dessen vorbeugender Zerstörung Siegurd nicht abzuhalten gewesen wäre. Die Frage, ob er es geschafft oder sich den Hals dabei gebrochen hätte, blieb so unbeantwortet. Höchstwahrscheinlich letzteres.

Entscheidend war auf alle Fälle sein Entschluß, jede Gefahr auf sich zu nehmen. Pedro konnte dazu gar nichts mehr sagen. Er war ständig am stummen Abbitteleisten. Und Marianne wollte für ihren zukünftigen Schwager nur noch durchs Feuer gehen.

Für Siegurd wurde ein längerer Krankenhausaufenthalt zu seiner völligen Wiederherstellung notwendig.

4

Drei Wochen später saß Baron Pedro von Aarfeld in Boltenberge vor dem Notar Dr. Franz Sedelmaier. Er trug einen feierlichen Cut. Dr. Sedelmaier thronte hinter seinem Schreibtisch und rückte an seiner Brille.

»Tja, nun ist's soweit«, sagte Pedro, »ich bin gekommen, um Ihnen, dem zuständigen Notar, zu melden«, er lachte über das Wort ›melden‹, »daß ich doch noch rechtzeitig heiraten werde. Eine Andeutung machte ich Ihnen schon am Telefon.«

»Und wer ist die Glückliche? Darüber ließen Sie mich im ungewissen.«

»Sie kennen Herrn Dr. Faber, den Kunsthändler . . .«

»Ja.«

»Vielleicht auch seine Sekretärin . . .«

»Die neue?«

»Ja.«

»Etwa die?«

Glücklich lächelnd nickte Pedro, wurde jedoch rasch wieder ernst, als Dr. Sedelmaier antwortete: »Aber Baron, ist die nicht bürgerlich?«

»Und? In welcher Zeit leben Sie, Doktor?«

Der erwähnte Kunsthändler Faber hätte seine helle Freude daran gehabt, wenn er diesen Moment miterlebt hätte. Leider war es ihm versagt.

Plötzlich wurde Pedro mißtrauisch.

»Lautet etwa«, fragte er, »eine Bedingung meines Vaters auch, daß ich mich standesgemäß verheiraten müßte?«

»Das weiß ich nicht«, antwortete Dr. Sedelmaier und erhob sich. »Ich glaube es nicht.«

Er ging auf den großen Aktenschrank zu. »Aber das werden wir gleich sehen . . .«

Mit einem dicken Aktenstück, das mit einer gedrehten, dicken Kordel verschnürt war, kehrte er zu seinem Sessel zurück. Die Endknoten waren mit einem roten Siegel verschlossen.

Die Stimme des Notars nahm einen getragenen Tonfall an.

»Baron Pedro von Aarfeld, es war der Wille Ihres Herrn Vaters, daß bei der Haupttestamentseröffnung nur sein ältester Sohn allein zugegen sein soll. Diese Bestimmung ist heute erfüllt. Als Ihr Herr Vater vor zehn Jahren starb, legte er im Vortestament nieder, daß Sie das Gut so lange zu verwalten hätten, bis der Majoratserbe ermittelt wäre. Da Sie mich heute von Ihrem Aufgebot unterrichten, sehe ich mich in der angenehmen Lage, Ihnen den letzten Willen Ihres Herrn Vaters, der auch mein Freund war, zu eröffnen . . .«

Dr. Sedelmaier ergriff eine Schere und wollte die Kordel durchschneiden, doch Pedro hob die Hand.

»Bitte«, sagte er leise, »lassen Sie mich das Siegel erbrechen, das mein Vater auf sein Testament setzte.«

Dr. Sedelmaier nickte sein Einverständnis, und Pedro ergriff das Aktenstück, hob es mit beiden Händen an und betrachtete es ein Weilchen versunken. Dann legte er es auf den Schreibtisch zurück und schob seine Finger unter die Schnur. Leise knackte es, und der Lack zersprang. Das Wappen derer von Aarfeld hatte, zerfallen in eine Reihe unscheinbarer Stückchen, seinen Geist aufgegeben.

Dr. Sedelmaier hatte stumm zugesehen. Die Erinnerung an seinen alten Freund war wach geworden, an die Abende auf dem Gut, die Skatrunde im Hotel Stern, die Jagderlebnisse.

Pedro nahm die Schere, schnitt das Aktenstück auf und schob es dem Notar hin. Dann trat dieser wieder in Funktion.

»Mein letzter Wille«, las er, nachdem er seine Brille zurechtgerückt hatte, vor. »Im Vollbesitz meiner geistigen Kräfte lege ich, Baron von Aarfeld, Ritter von Stolzenburg und Ebertzhagen,

Edler Herr von Almelungen und Ritter des Schwarzen Adlerordens zweiter Klasse, meinen letzten Willen fest: Erstens: Mein Sohn Pedro erhält bei Heirat, die spätestens bis zur Vollendung seines vierunddreißigsten Lebensjahres erfolgt sein muß, das gesamte Majorat Aarfeld, mit allen Gütern, Liegenschaften, Inventar. Er hat seinem Bruder Siegurd das Wohnrecht einzuräumen. Zweitens: Mein Sohn Siegurd erhält eine jährliche Rente von DM 60 000,– und einen Anteil von 25 Prozent meines Auslandsvermögens, dessen Aufstellung dem Testament beigegeben ist. Drittens: Mein Sohn Siegurd erhält ferner die Villa ›Bergfried‹ am Ammersee in Bayern. Viertens: Ich verpflichte meinen Sohn Pedro, aus dem an ihn fallenden Haupterbe jährlich DM 12 000,– auf das Konto 34 927 der Sparkasse in Boltenberge zu überweisen. Der Zweck dieses Kontos mag ihm unbekannt sein und bleiben . . .«

Länger als eine halbe Stunde dauerte die Verlesung des umfangreichen Testaments, und dann wußte Pedro, daß er der Erbe eines riesigen Vermögens war. Zusammengezählt mochte alles in allem einen Wert von zehn bis zwölf Millionen darstellen.

Pedro begab sich, als er beim Notar alles hinter sich hatte, zu Dr. Faber, seinem Freund. Wichtiger war ihm natürlich noch, Marianne dort anzutreffen. In dieser Hoffnung sah er sich dann allerdings getäuscht.

Dr. Faber empfing ihn mit einer Miene, die nichts Gutes verhieß.

»Wo ist Marianne?« fragte Pedro, als er sie nirgends sah, im Laden nicht und im Büro auch nicht.

»Fort.«

»Wie fort? Können Sie sich nicht genauer ausdrücken, alter Freund?« fragte lächelnd Pedro, der den Ernst der Lage noch nicht wahrhaben wollte.

»Ich weiß nicht, wohin sie ist. Sie stürzte jedenfalls weinend aus dem Laden. Sie war zurückgekommen vom Essen zu Hause, wo sie einen Brief vorgefunden hatte. Den da . . . sie zeigte ihn mir . . . sie wollte ihn gar nicht mehr haben . . .«

Faber überreichte Pedro jenen Brief. Pedro nahm den Umschlag und drehte ihn um, um als erstes nach der Absenderangabe zu sehen.

M. v. Bahrenhof.

Eine kalte Hand schien ihm nach seinem Herzen zu greifen.

»Lesen Sie«, sagte Dr. Faber.

Pedro zog den mit Maschine geschriebenen Bogen aus dem Umschlag und faltete ihn auseinander. Rasch lief er rot an, sein Puls beschleunigte sich, die Stirnadern schwollen an.

Er las:

»Bestes Fräulein Klett!

Zu ihrer bevorstehenden Verlobung mit Pedro darf ich Ihnen als Eingeweihte wohl zuerst gratulieren. Sie erhalten wirklich einen treuen Mann, der, wenn er einmal ein Ziel sieht, es auch verfolgt, ohne Rücksicht auf Herzen und Gefühle. Selbst Küsse, die er im Auto mit jungen Witwen tauscht, hindern ihn nicht daran, für die Erhaltung seines Majorats sich selbst zu verleugnen.

Werden Sie glücklich mit ihm, bestes Kind, glücklicher als ich vor allem, die den großen Nachteil hat, ihn zu gut zu kennen, um Herrin auf Aarfeld zu werden.

Ihre Mathilde von Bahrenhof.«

Pedros sämtliche Empfindungen sammelten sich, als er den Brief sinken ließ, in einem einzigen Ausdruck, den er hervorstieß: »Dieses Mistvieh!«

Adelig war das nicht gerade.

»Sie hatten also nichts mit der?« schloß daraus Dr. Faber erleichtert.

»Natürlich nicht; nur . . .«

Pedro stockte.

»Was nur?« fragte Faber.

Pedro gab sich einen Ruck. »Es war so: Wir hatten beinahe einen Unfall. Ich mußte scharf abbremsen, der Wagen schleuderte, und sie flog mir an die Brust. Ich habe sie nicht gleich weggestoßen, das war mein Fehler. Als ich mich behutsam – um sie nicht zu verletzen, weder physisch noch anders – von ihr lösen wollte, fiel sie buchstäblich über mich her und verschlang mich mit ihren verdammten Küssen, in denen sie jetzt eine Waffe sehen will.«

Pedro schlug mit dem Rücken der freien Hand auf den Briefbogen, den er in der anderen hielt, und fragte den Kunsthändler, der ihn mit einer Spur von Zweifel im Gesicht ansah: »Was soll ich machen? Was raten Sie mir?«

»Sie müssen die Sache bereinigen.«

»Und wie?«

»Indem Sie mit beiden Frauen reden – mit der einen allerdings klar und deutlich, damit ihr für immer die Lust zu solchen Intrigen vergeht.«

Fünf Minuten später war Pedro von Aarfeld mit dem Wagen schon unterwegs nach Bahrenhof, wieder einmal mit Höchstgeschwindigkeit.

Die langen Gänge des Sanatoriums waren weiß getüncht und mit hellgrünem Linoleum ausgelegt. Überall drängte sich der Eindruck peinlichster Sauberkeit auf.

Auf Zimmer 9 der Privatstation lag Siegurd von Aarfeld. Seinen Kopf hüllte ein großer Verband ein, der nur das schmale Gesicht zwischen halber Stirn und halbem Kinn freiließ. Sein rechter Arm war dick mit Brandbinden umwickelt, sein linkes Bein lag in einer langen Schiene. Die eben verheilten Brandwunden am Rumpf verdeckte ein Pyjama. Siegurds Verletzungen hatten in den ersten Tagen zu größter Besorgnis Anlaß gegeben. Nun aber befand er sich auf dem Weg der Besserung.

Heute hatten, unter Anleitung des Chefarztes, Professor Krafft, die ersten Gehversuche stattgefunden. Das war nicht ohne Erschöpfung abgegangen, und deshalb lag Siegurd jetzt bleich und kaputt im Bett. Eine zusätzliche Belastung ging von Marianne aus, die auf einem Stuhl vor dem Bett saß und vor sich hin weinte.

Die Frage, mit der sie ins Zimmer gestürzt war, hatte gelautet: »Was haben Pedro und diese Bahrenhof-Hexe miteinander?«

Siegurd war natürlich überrascht und erschrocken gewesen und hatte deshalb im ersten Augenblick nur hervorgestoßen: »Nichts.«

»Aber sie behauptet das Gegenteil, Siegurd!«

»Welches Gegenteil?«

»Daß er sie geküßt hat!«

Und nun hatte Siegurd einen großen Fehler gemacht, indem er sagte: »Na und? Hast du mich nicht auch geküßt?«

Ein Aufschrei Mariannes ertönte: »Das ist doch etwas ganz anderes!«

Weibliche Logik. In solchen Fällen entdecken Frauen immer elementare Unterschiede.

Jedenfalls löste sich ein Strom von Tränen aus Mariannes Augen, der kein Ende mehr nehmen wollte.

Siegurd berichtete daraufhin, was sich zwischen Pedro und Mathilde von Bahrenhof wirklich zugetragen hatte. Zum Glück hatte ihm Mathilde ja die Geschichte ganz offen erzählt, und dies mußte er Marianne sogar noch unverblümt eingestehen, sonst hätte sie ihm keinen Glauben geschenkt. Sie fragte ihn nämlich mißtrauisch: »Woher weißt du das alles so genau? Bist du selbst dabei gewesen?«

»Nein.«

»Dann muß es dir ein Beteiligter mitgeteilt haben.«

»Ja.«

»Pedro?«

»Nein, Mathilde.«

Marianne verstummte. Da aber der Ausdruck des Mißtrauens nicht aus ihrem Gesicht verschwand, fühlte sich Siegurd gezwungen, eine Generalbeichte abzulegen.

»Glaub mir, das stimmt schon«, begann er. »Wir hatten keine Geheimnisse voreinander. Du ahnst nicht, wie weit das ging. Ich will es dir sagen, es bedrückt mich sowieso schon seit dem großen Brand . . .«

Und schonungslos gegen sich selbst berichtete er von dem Plan, den er und Mathilde geschmiedet hatten, um sich in den Besitz des Gutes zu setzen. Im Zuge dieses Planes seien, sagte er, jene Küsse Mathildes ein von ihr angestrebtes Mittel gewesen, sich Pedro gefügig zu machen. Das müsse ihr, Marianne, doch einleuchten. Oder nicht?

»Doch«, nickte Marianne, nun restlos überzeugt.

Und sie schämte sich. Sie kam sich klein und häßlich vor, nicht wert, einmal Marianne von Aarfeld zu heißen. Ich muß sofort zu Pedro, dachte sie, Dr. Faber muß mich nach Aarfeld fahren. Ich muß Pedro um Verzeihung bitten. Ich will nie wieder an ihm zweifeln, will nur ihm glauben, denn ich weiß nun, daß er mich liebt und alle Worte, die er spricht, Wahrheit sind, weil er gar nicht lügen kann.

Sie sprang auf.

»Wohin?« flüsterte Siegurd, den die lange Beichte unendlich ermüdet hatte.

»Zu ihm!«

Und ehe er ihr an ihn auch Grüße von ihm, seinem Bruder Siegurd, auftragen konnte, war sie schon an der Tür.

Er lächelte ihr nach. Erst draußen auf dem Flur fiel ihr ein, daß man sich von einem Patienten auch verabschieden mußte. Sie steckte den Kopf noch einmal ins Zimmer.

Aber Siegurd schlief schon.

Mit kreischenden Bremsen hielt der Wagen Pedros auf dem Innenhof von Gut Bahrenhof. Ein Stallbursche rettete sich durch einen Sprung zur Seite.

Pedro wand sich aus dem Wagen und wollte ins Haus stürmen.

»Die Frau Baronin ist nicht da«, sagte der Stallbursche rasch.

»Wo ist sie?«

»Drüben im Bruch. Sie wollte heute Hasen schießen.«

»Danke.«

Pedro sprang wieder in den Wagen, fuhr mit einem Ruck an, lenkte hinüber in den großen Wald, der sich bald an das Gut anschloß, scheute nicht die unebenen Forstwege und stoppte nach drei Kilometern vor einem engen Tannenstück. Dort stieg er aus, schlug die Wagentür hinter sich zu und ging quer durch das Tannenstück zu einer weiten, teils mit niedrigem, teils mit hohem Gras bewachsenen Fläche, die man in dieser Gegend den Bruch nannte, und die in der Hauptsache aus einem großen Sumpf bestand.

Am Waldrand blieb Pedro stehen und schaute sich um. Langsam wanderte sein Blick über die Haselbüsche und Krüppelbirken, über die Schilfinseln an den noch offenen Stellen des Moores und die breiigen Flächen des tückischen Bodens. Endlich sah er an einer halbhohen Weide eine schlanke Gestalt stehen und ging mit langen Schritten auf sie zu.

Ruhig, die Schrotflinte in der Hand, erwartete ihn Mathilde von Bahrenhof. Ihr blondes Haar wallte wundervoll über die grüne Lodenjacke.

»Wen sehe ich: Pedro von Aarfeld«, sagte sie mit ihrer melodischen Stimme, die so zärtlich, aber auch so kalt klingen konnte.

»Wollen Sie in meinem Revier ein wenig wildern? Wo haben Sie die Waffe?«

Mit steinernem Gesicht stand der Baron vor ihr.

»Sie haben an meine Braut geschrieben«, sagte er hart und laut.

»Ich habe ihr gratuliert. Man weiß doch, was sich gehört.«

»Sie haben gelogen!«

»Wieso?« Sie lachte. Es klang perlend und aufreizend. »Ich habe geschildert, wie ich dieses Verlöbnis mit meinen Augen sehe.«

Pedro drohte die Beherrschung zu verlieren.

»Der ganze Brief strotzt vor Gemeinheit!« schrie er.

»Was wollen Sie hier?« fragte ihn Mathilde von Bahrenhof schroff.

»Sie werden Ihre Lügen meiner Braut gegenüber richtigstellen! Dazu zwinge ich Sie!«

»Mich zwingen?« In den Augen der Freiin glomm ein gefährliches Feuer auf. Sie riß plötzlich das Gewehr hoch und zielte auf Pedro. »Ich könnte Sie jetzt abknallen, und keiner sieht es. Wilderer, würde es heißen, wie beim Vater. Am liebsten täte ich es wirklich. Ich hasse Sie. Sie haben mich um mein ganzes Leben gebracht, um meine Zukunft. Verschwinden Sie, sonst drücke ich ab!«

»Runter mit der Flinte!« sagte Pedro furchtlos. »Spielen Sie hier nicht die Verrückte!«

»Halt! Bleiben Sie stehen!« schrie sie schrill, als sie sah, daß er auf sie zutreten wollte. »Noch *einen* Schritt, und Sie sind ein toter Mann!«

Ihr Gewehr lag in Augenhöhe. Der Lauf zielte mitten ins Gesicht Pedros. Haß verzerrte ihre Züge.

Pedro rührte sich nicht mehr. Nur noch Zentimeter trennten ihn vom Jenseits, das war ihm von einer Sekunde auf die andere klar geworden.

So standen sie eine Ewigkeit, und auf einmal peitschte ein Schuß über das stille Moor; es war aber nicht der erwartete aus Mathildes Büchse, sondern er dröhnte vom Waldrand her. Die Freiin stand plötzlich mit leeren Händen da. Ihre Flinte hatte einen heftigen Schlag erhalten, war zur Seite geflogen und lag nun im Schlamm.

Vom Waldrand löste sich eine hohe, breite Gestalt. Leichenblaß blickte ihr Mathilde von Bahrenhof, die beim Schuß entsetzt herumgefahren war, entgegen.

Tief atmete Pedro auf.

»Gerade noch im rechten Augenblick, Recke«, sagte er, setzte jedoch, Zeugnis von seiner immerwährenden Korrektheit ablegend, sogleich hinzu: »Ich muß Sie aber fragen, wie Sie mit einer Waffe in ein fremdes Revier kommen . . .«

»Ich darf mir den Weg abkürzen«, antwortete gar nicht erstaunt der Förster Recke. »Dazu habe ich seit acht Jahren die Erlaubnis vom verstorbenen Freiherrn von Bahrenhof.«

Dies schien der Freiin von Bahrenhof den Rest zu geben. Sie wandte sich ab, fuhr herum und wollte tiefer ins Moor hineinlaufen. Pedro hielt sie jedoch am Ärmel fest.

»Bleiben Sie, dort hört der Weg auf!«

»Lassen Sie mich!« Kratzend fuhren ihre Finger in sein Gesicht, wodurch sich für einen Augenblick sein Griff lockerte. Sie benutzte die Gelegenheit, um sich loszureißen und über den schmalen Weg durch die Büsche hindurch dem Moor entgegenzulaufen.

»Halt!« brüllte Pedro, sah, daß sein Ruf nichts nützte, und setzte der Flüchtenden nach. Recke schlug einen kleinen Bogen. Er wollte versuchen, ihr den Weg abzuschneiden.

Weicher und weicher wurde der Boden. Der ausgetretene Pfad hörte auf. Hohes Gras bedeckte die nachgebende Erde, die hier noch nie von eines Menschen Fuß betreten worden war. Als könne sie fliegen, so schnell und leicht rannte die Freiin über den schwankenden Boden, schnellte sich um die Büsche und warf sich in das Schilf, eine Gasse vor sich niedertretend.

»Bleiben Sie doch stehen!« brüllte Pedro im Laufen. »Das Moor kommt!«

Mathilde von Bahrenhof achtete nicht darauf. Wie gehetzt lief sie weiter, sprang über die ersten offenen Stellen, in denen das dunkle, faulige Wasser gurgelte, sank mit dem Fuß bis zum Knöchel ein und riß sich wieder empor. Weiter, nur weiter! schrie es in ihr. Ich habe ihn ermorden wollen, und eine Freiin von Bahrenhof stellt man nicht als Verbrecherin vor Gericht. Sie blickte zur Seite, sah die Hünengestalt des Försters Recke auf sich zukommen – und wandte sich nach links. Leichtfüßig sprang sie über niedriges Gesträuch und schlug Haken um die Weidenstämme und die moorigen Stellen.

Plötzlich öffneten sich die Büsche, und ein weites, fast kahles Feld lag vor ihr. Kleine Schilfbüschel ragten aus der nassen Erde. Eine Schar Moorhühner flatterte empor, aufgeschreckt von den hier zum erstenmal sichtbar werdenden Zweibeinern, und zog schreiend davon.

Das Moor, durchzuckte es Mathilde. Sie blickte sich um. Hinter ihr keuchte Pedro von Aarfeld heran, von rechts kam der Förster durch die Büsche gebrochen. Es gab keinen anderen Weg mehr . . . das Moor mußte sie tragen.

Ohne sich zu besinnen, stürzte Mathilde von Bahrenhof hinaus auf die weite, einsame, tote Fläche. Mit einem Ruck stoppte Pedro, als er dies sah, und starrte der Verrückten nach. Er brachte keinen Ton mehr hervor. Es hallte aber die Stentorstimme Reckes über das Moor: »Zurück! Das ist Selbstmord!«

Fünf . . . zehn . . . zwanzig Schritte lief die Freiin noch. Das Moor trug sie. Der Boden schwappte unter ihr, Wasser quoll auf, faulige Brühe lief ihr über die Schuhe – aber die leichte Gestalt sank nicht ein, sie wirbelte über den Tod hinweg. Ohnmächtig standen Pedro und Recke am Rand und starrten auf das Bild des Wahnsinns, das sich ihnen bot.

Da warf die Freiin plötzlich die Arme hoch, wollte einen Schritt zurück, doch urplötzlich war nun das Moor am Zuge. Es hielt sie fest. Mit einem lauten Schrei brach sie in den tückischen Boden ein und versank bis zu den Waden.

Verzweifelt begann sie zu kämpfen. Aber jede Bewegung verringerte ihre Chancen, öffnete das Moor unter ihr nur noch bereitwilliger. Es war, als sauge eine ungeheure Kraft an ihrem Körper, als stünde sie in einem Brei, der langsam höher stieg. Grundlos schien der Boden, gierig, endlich ein Opfer zu haben. Fauliges Wasser stieg an ihr empor und gluckste jetzt schon um ihre Schenkel.

Verzweifelt sah sie sich um.

»Hilfe!« schrie sie. »Hilfe! Ich versinke!«

Mit weit aufgerissenen Augen, in denen ein maßloses Grauen lag, sah sie, wie der Boden, der Tod, an ihr höher und höher kletterte. Und sie schrie nur noch immer wieder gellend nach Hilfe.

Pedro löste sich aus seiner Erstarrung, hetzte zum Waldrand zurück, sprang suchend hin und her und fand einen jungen, abgeholzten Birkenstamm. Er lud ihn sich auf die Schulter und brachte ihn möglichst rasch zur Unglücksstelle. Recke folgte seinem Beispiel. Auch er fand bald einen zweiten Stamm. Doch dann war Schluß. Es schwebte ihnen vor, in aller gebotenen Hast eine Art Knüppeldamm zu bauen, aber sie hätten dazu einige Dutzend Stämme gebraucht; kein einziger fand sich mehr in der Nähe, trotz fieberhafter Suche.

Was tun? Nichts mehr. Das Moor, der Tod war am Zuge.

Das Opfer schrie und schrie.

Schon reichte der Sumpf bis zum Hals.

In den Augen lag die Erkenntnis, daß es zu Ende war.

Aus dem Brei der Erde fuhren ein letztes Mal die Arme hoch, als wollten sie nach einem Halt in der Luft greifen.

»Hilfe!« gellte es. »Hilfe! Hi . . .«

Der Schrei brach ab, und tödliches Schweigen, Bewegungslosigkeit und die absolute Gleichgültigkeit der Elemente gegenüber jeder menschlichen Katastrophe senkte sich auf das Moor herab.

Totenbleich starrte Pedro von Aarfeld auf die Stelle der Tragödie. Friedlich lag sie da. Bald schon würden die Moorhühner zurückkehren, auf der Suche nach Schutz und Nahrung, die ihnen der Schlick bot.

Recke fand als erster die Sprache wieder. »Es ist vorbei, Herr Baron . . .«

»Gehen wir«, entschied Pedro, und sie schritten gemeinsam durch den Wald. Der Förster trug neben seiner Flinte auch die der Freiin.

»Dieses Ende hat sie nicht verdient«, sagte Pedro, als sie bei seinem Wagen angekommen waren. »Sie war haltlos, gemein, rachsüchtig, gierig nach Geld, sie war einfach schlecht – aber das sind viele. Dieses Ende hat sie nicht verdient, denn sonst müßten ganze Heerscharen auch auf solche Weise zugrundegehen.«

»Wer erstattet Meldung bei der Polizei, Sie oder ich?« fragte der Förster.

»Ich.«

Pedro ließ sich das beschädigte Gewehr geben, wobei er sagte: »Diese Geschichte bleibt unter uns, Recke – den Anschlag auf mich meine ich. Wir sagen einfach, daß sie unvorsichtig war. Klar?«

Und als der Förster erstaunt blickte und nur zögernd nickte, setzte Pedro hinzu: »Wir wollen das Andenken an sie in der Öffentlichkeit nicht noch unnötig schädigen. Schlecht genug wird es ohnehin sein.«

»Wie Sie meinen, Herr Baron.«

Pedro stieg in seinen Wagen, nachdem er Mathildes Flinte im Kofferraum verstaut hatte. Mit einem knappen Winken der Hand fuhr er davon. Recke sah dem Auto nach, bis es in einer Schneise verschwunden war. Dann stand er noch eine Weile, blickte leer vor sich hin und ließ den ganzen schrecklichen Film der letzten Viertelstunde noch einmal an sich vorüberziehen. Ein tiefer Seufzer hob zuletzt seine Brust.

»Mann«, sagte er laut zu sich selbst, »ich hätte schlechter zielen sollen, sie erschießen sollen, dann wäre ihr das erspart geblieben.«

Pedro fuhr langsam. Auch ihn hielten die Bilder des Grauens noch zu sehr in ihren Krallen, als daß er daneben schon wieder die nötige Konzentration auf ein Fahren mit höherer Geschwindigkeit hätte aufbringen können.

Er kam an Gut Bahrenhof vorbei und bog auf die Straße nach Aarfeld ein. Schon von weitem sah er im Hof seines Gutes den Wagen Fabers stehen. Als er durch das Tor fuhr und stoppte, kam ihm Marianne die Treppe herunter entgegengelaufen. Sie strahlte, erstarrte aber wenige Schritte vor ihm plötzlich und stieß hervor: »Wie siehst du aus? Was ist passiert?«

»Das erzähle ich dir später. Erst muß ich wissen, ob zwischen uns wieder alles in Ordnung ist.«

»Natürlich! Ich war doch ein Schaf, und ich schwöre dir, daß ich nie, nie, nie mehr davonlaufen werde. Kannst du mir meine Dummheit noch einmal verzeihen?«

Er nickte lächelnd, sie jauchzte auf und warf sich ihm in die Arme.

»Du«, flüsterte sie ihm heiß ins Ohr, »wolltest du mich nicht immer wieder etwas fragen, bis du die richtige Antwort von mir erhalten würdest?«

»Ja.«

»Dann tu's! Ich warte darauf!«

Mit glücklichen Augen, aus denen das Grauen gewichen war, um einem seligen Schimmer Platz zu machen, erklärte er: »Also gut, ich frage dich, ob du meine Frau werden willst. Oder sagst du wieder nein?«

Ihre Antwort erfolgte in einer Art und Weise, die dem Diener Lulatsch zu einem außerordentlich mißbilligenden Kopfschütteln Anlaß gab. Er stand im ersten Stock zufällig hinter einem Fenster und beobachtete die Szene im Hof.

»Nein«, brummte er tadelnd, »das geht zu weit! Die erstickt ihn mir ja! Und das in aller Öffentlichkeit! Wenn wenigstens er nicht auch noch mitmachen würde! Aber . . .«

Er brach ab, wandte den Blick vom Fenster. Mit einem »Barone sind das heutzutage . . .« ging er kopfschüttelnd aus dem Zimmer und stieg hinunter in den Keller, um sich ein Fläschchen zu holen. Er hatte Trost nötig.

Die Masken der Liebe

Roman

Die Personen,
die es nicht tun oder glauben, daß es nicht getan wird:

Brigitte Borgfeldt, eine Zeichenlehrerin
Herbert Sanke, Reisender in Lehrmitteln
Elisabeth Konradi, Brigittes Schwester, Lehrerin
Heinz Konradi, Privatgelehrter
Anny von Borcken, Freundin Elisabeths
Paul Sanke, Vater Herbert Sankes, Gutsverwalter
Josef Behrens, Landpolizist
Der Bürgermeister von Marktstett
Ein Polizist in Ebbenrath
Erich Kiel, Freund Heinz Konradis

Außerdem Bebsy, ein Foxterrier

Zeit: 1949, im August

Orte: Ebbenrath und Marktstett (vergeblich auf einer
Karte zu suchen)

Die Geschichte ist wahr . . . das ist das einzig
Traurige an ihr . . .

Kleines Vorspiel

Wenn ein junges, knuspriges Mädchen in den Sommerferien schwimmen geht, knüpfen sich daran Erwartungen, die nicht nur mit dem Wasser allein zu tun haben. Denn das ist nun einmal so, das läßt sich einfach nicht ändern: Wasser, Sonne, Jugend und Flirt gehören zusammen. Wenn eines fehlt, macht das ganze Baden keinen Spaß mehr.

Lang erstreckt sich der Stausee bei Ebbenrath zwischen den grünen Bergen. Sein Wasser glitzert in der Sonne, die weißen Segel der Boote blähen sich über den Wellen, und das dunkle Grün der Fichten rings auf den Bergen umrahmt den silbern schimmernden See. Die kiesigen oder sandigen Ufer verlocken zum Sonnenbaden, auf den Waldwiesen stehen Zelte, und der Schwarm der Paddelboote sammelt sich in den weiten Buchten, über denen am Abend der Gesang der an den Lagerfeuern sitzenden jungen Leute erschallt.

An all das dachte Brigitte Borgfeld, als sie in den Sommerferien 1947 nach Ebbenrath zu ihrem Schwager Heinz Konradi fuhr, um einmal – so nebenbei – im Auftrag der Familie festzustellen, ob die Ehe ihrer Schwester Elisabeth mit dem »Künstler« Konradi auch wirklich den Erfordernissen einer herkömmlichen Ehe entsprach.

Heinz Konradi, der als Privatgelehrter den Ehrgeiz besaß, unbedingt die dramatische Begabung und Betätigung der Südsee-Völker zu erforschen und ein Buch darüber zu schreiben, das einem Ladenhüterschicksal nicht würde entgehen können, sah dem

Besuch seiner Schwägerin mit gemischten Gefühlen entgegen. Sein »unsolides« Künstlertum war ein Stein des Anstoßes für die ehrsame Bürger-und-Lehrer-Familie Borgfeldt, ein Herd des Konfliktes mit seinen Schwiegereltern, der geheime, tiefe Kummer seiner überaus realistisch und praktisch denkenden Frau Elisabeth. Das dürfte nicht noch mehr geschürt werden, sondern sollte in diesen wenigen Tagen im Gegenteil nach Möglichkeit abgebaut werden, damit Brigitte keine Veranlassung sah, ihre »unglückliche« Schwester Elisabeth zu bedauern und den Eltern Entsprechendes zu vermelden. Heinz Konradis Kopf war deshalb angefüllt mit Programmen und Projekten, die seinen Sinn für die Wirklichkeit unter Beweis stellen sollten.

Aber an Baden im Stausee dachte er nicht.

Es ist meistens so, daß das, woran man nicht denkt, sich dann irgendwie von selbst ergibt.

Wasser im Sommer ist etwas Köstliches. Ein Stausee ist es wert, daß man neben ihm alles vergißt und sich nur mit dem wohligen Gefühl der Entspannung seine prickelnden Wellen über den Körper spülen läßt.

Als Brigitte Borgfeldt mit den Konradis am Stausee erschien und sich in einer der zahlreichen Buchten ins Gras sinken ließ, saß ihnen gegenüber am jenseitigen Ufer ein Mann und las in einer Zeitung.

Zeitungslesende Männer sind nichts Auffälliges. Und auch Heinz Konradi, der seiner Schwägerin Brigitte einen gelehrten Vortrag über ein längst vergessenes Urtheater hielt, achtete nicht besonders auf diesen Mann, bis er überrascht feststellte, daß der Betreffende bei ihnen herüben aus dem Wasser stieg und sich prustend, mit Wassertropfen um sich spritzend, an der Seite Brigitte Borgfeldts niederließ.

»Nanu?« meinte Heinz Konradi und blickte zum anderen Ufer des Sees hinüber. »Sind Sie nicht der Herr, der eben noch da drüben Zeitung las?«

»Allerdings.«

Die Stimme des Mannes war dunkel, dröhnend, von einer enormen Resonanz, die Heinz Konradi sofort in ihren Bann schlug. Konradi ging gern ins Theater, er verstand deshalb etwas von Stimmen. Das Organ des Fremden, aber auch seine mächtige Gestalt, der einem Möbelpacker gehören konnte, überhaupt die ganze Erscheinung paßte zu dem Bild, das sich von einem schweren Bühnenhelden zu machen Konradi gelernt hatte.

»Wie?« sagte er maßlos erstaunt. »Sie sind da so schnell herübergeschwommen?«

»Warum nicht? Alles nur Übungssache.«

»Ich danke! Sie sind ja rekordverdächtig!«

»Halb so wild. Ich bin gern am Wasser. Das ist die einzige Erholung, die einzige Abwechslung, die man hat. – Darf ich Ihnen ein bißchen Gesellschaft leisten?«

Die Frage war überflüssig, denn er saß ja, wie gesagt, schon neben Brigitte im Gras.

So kam man ins Gespräch, und Heinz Konradi erfuhr, daß der gute Schwimmer Herbert Sanke hieß und keinesfalls mit dem Theater zu tun hatte; sondern im Kreis Ebbenrath Milchkontrolleur war, dem es in einer Zeit, in der die Leute noch nicht so üppig lebten wie heute, an nichts mangelte. Verheiratet war er auch noch nicht. Im übrigen schien er es zu lieben, sich schrecklich gewählt und geschraubt auszudrücken.

Schnell fand er heraus, daß Brigitte zu Besuch hier war, und erbot sich, mit ihr quer durch die Bucht zu schwimmen. Dabei zeigte er dann seine Schwimm- und Tauchkünste, verweilte mit Brigitte eine Zeitlang am anderen Ufer, brachte sie aber unbescholten und in Ehren zurück. Das war damals noch nicht so ungewöhnlich wie heute.

Und auch Brigitte Borgfeldt selbst fand es nett und richtig so.

Man tauschte die Adressen aus mit dem festen (inneren) Entschluß, sich (nicht) zu schreiben, und fuhr dann mit der Eisenbahn am Abend wieder zurück nach Ebbenrath, lustig, frisch, jung, voller Sonne. Heinz Konradi war zufrieden mit sich, mit Elisabeth und besonders auch mit Brigitte.

Das ist eigentlich alles.

Recht mager, nicht wahr? Wo ist da die Pointe? Wenn weiter nichts geschieht, warum dann erst so große Einleitungen?

Und wirklich – es geschah drei Jahre lang nichts mehr.

Absolut nichts.

Herr Herbert Sanke war vergessen. Ein Sommerflirt – mehr nicht.

Und jetzt geht's los!

Die Währungsreform lag hinter Heinz Konradi und seiner Frau. Da Heinz weder Metzgermeister noch Zigarettenhändler noch Dachziegelhersteller oder etwas Ähnliches gewesen war, hatte er vor der Währungsreform nichts zu bieten gehabt. Darum änderte sich auch nach der Währungsreform nichts. Für den Lebensunterhalt mußte seine Frau sorgen. Elisabeth, traditionsgemäß als Lehrerin ausgebildet, nahm deshalb den Schuldienst wieder auf. Sie lehrte 84 Schüler die Grundbegriffe der deutschen Sprache, während Heinz sich mit den Konkursen seiner Verleger abzufinden hatte und seine nunmehrige Arbeit darin bestand, anstelle seiner Frau Kartoffeln zu schälen, zu kochen und auch am Abwasch des Geschirrs teilzunehmen.

So stand er auch heute in der Küche und trocknete das Geschirr ab, das ihm seine Frau herüberreichte, als es klopfte und ein großer Herr in einem grauen Sportanzug in die Wohnung trat. Seine Brust war breit, sein Kreuz mächtig wie das eines Möbelpackers, und seine Stimme war von einem dröhnenden Klang.

»Guten Tag«, sagte der Herr und lächelte freundlich, mit einer fast plumpen Vertraulichkeit. »Mich schickt der Schulleiter . . .«

»Dann wollen Sie zu meiner Frau«, nickte Heinz Konradi. Ihn hatte es durchzuckt. Diese Stimme, dachte er. Verdammt, woher kennst du diese Stimme? Auch der ganze Kerl kommt dir bekannt vor . . . Aber woher?

Vor demselben Rätsel stand Elisabeth, seine Frau.

Forschend betrachtete Heinz den Herrn und stellte den Suppenteller, den er gerade abgetrocknet hatte, auf den Tisch.

»Um was geht es?«

»Wie gesagt, der Schulleiter schickt mich zu Ihrer verehrten Frau Gemahlin. Ich bin Vertreter. Meine Firma stellt Lehrmittel her, wir . . .«

»Sagen Sie, kennen wir uns nicht?« unterbrach Konradi den Mann.

»Dasselbe wollte ich Sie auch schon fragen.«

»Wie heißen Sie denn?«

»Sanke.«

»Sanke?«

»Ja. Und Sie?«

»Konradi.«

»Konradi?«

»Heinz Konradi.«

Bei den beiden hätte es noch nicht gezündet, wenn nicht Elisabeth im Hintergrund plötzlich gerufen hätte: »Ich weiß! Am Stausee! Vor zwei oder drei Jahren!«

»Ach was!« korrigierte Heinz sie. »Der war doch damals Milchprüfer!«

Und er wandte sich an Herrn Sanke: »Oder haben Sie einen Bruder, der Milchprüfer ist?«

»Nein«, lachte Sanke, »Ihre Frau Gemahlin hat recht, ich bin ein und derselbe, ich habe meinen Beruf gewechselt.«

Des Rätsels Lösung war also gefunden.

Die drei begrüßten sich nun noch einmal weitaus herzlicher, sie schüttelten sich die Hände, dann sagte Sanke zögernd: »Und was macht Ihre . . . ich glaube, es war Ihre Schwester, Herr Konradi bzw. Ihre Schwägerin, Frau Konradi . . .?«

»Genau umgekehrt«, lachte Heinz Konradi, »meine Schwägerin und die Schwester meiner Frau.«

»Hieß sie nicht . . .?« Sanke stockte.

»Brigitte«, fiel Konradi ein.

»Richtig – Brigitte. Oft habe ich an sie gedacht. Die Adresse hatte ich verloren, leider. Aber die kurzen, schönen Stunden konnte ich nie vergessen . . . sie waren so sorglos, unbeschwert . . . ich habe damals das erstemal richtig aus ganzer Seele gelacht, das erstemal wieder . . . nachdem ich zurückgekommen war . . . aus Rußland . . . aus dem Ural . . . mit Wasser in den Beinen bis zum Nabel . . . Na, Schwamm drüber . . . wir haben es überstanden. Dieser Sommertag am Stausee hat mir gezeigt, daß das Leben doch noch schön sein kann . . . Ja, die Brigitte . . .«

Und damit fing es an.

Knüppeldick stürmte es auf Heinz Konradi und seine Frau ein.

Nicht allein, daß der Lehrmittelvertreter Herbert Sanke einen schönen Auftrag an Land zog und auch noch die bei Konradis vom Mittag übriggebliebene Bohnensuppe aufaß, womit er Heinz die Hoffnung auf ein gutes Abendessen aus den Resten des Mittags zerstörte, nein, nicht nur das, er erklärte sich sogar auch noch dazu bereit, seine Geschäftstour zu unterbrechen und in Marktstett, einem Dorf bei Ebbenrath, seinen Vater zu besuchen, nachdem er erfahren hatte, daß Brigitte Borgfeldt bereits Schulferien habe und als Zeichenlehrerin einigen Motiven in Ebbenrath nachspüren wolle.

Heinz Konradi sah an die Decke und dachte scharf nach.

Wenn Herbert Sanke Brigitte erwartet, scheint er von Brigitte etwas zu erwarten . . .

Haha, du Armer, dachte er weiter, du kennst Brigitte nicht. Brigitte Borgfeldt ist aus anderem Holz als ihre Schwester Elisabeth. Ja, seine Frau, das war ein Aas, die flirtete, daß der Puls der Männer zu rasen begann und sogar eingefleischte Junggesellen ihre Prinzipien vergaßen und noch einmal dumm und aufgeregt wurden wie Primaner. Elisabeth – oho – das war eine Frau für Kenner, für Feinschmecker, für männliche Leckermäulchen! Kein Wunder, es war ja auch *seine* Frau! Stolz sagte er das zu sich selbst.

Doch mit Brigitte, der strengen, herben, in der Bürgerlichkeit des Elternhauses aufgewachsenen und dem von Lehrkräften durchsetzten Tantenkreis nie entflohenen Unschuld, war da nichts zu machen. Wie lautete doch eine stehende Redensart in der Familie? »Brigitte tut das nicht!«

Herr Herbert Sanke schien da anderer Ansicht zu sein. Er blieb lustig erzählend bis zum Abend bei den Konradis hocken, schwang sich dann auf sein Fahrrad und fuhr nach Marktstett, um seinen alten Vater zu besuchen.

Bevor er aber abfuhr, drückte er Heinz Konradi noch einmal die Hand und sagte mit einer entwaffnenden Direktheit: »Und wenn ich Ihre Schwägerin treffe, werde ich mit ihr ein Hühnchen rupfen. Mich so einfach zu vergessen! Ich komme jedenfalls in zwei, drei Tagen wieder vorbei.«

Heinz Konradi lachte. Aber im Inneren ärgerte er sich über die Art, in der dieser Mensch auf sein Ziel losging.

*

In der Nacht fand dann auch die längst fällige, längst erwartete eheliche Aussprache statt.

Warum dringend wichtige eheliche Aussprachen sehr oft im Bett stattfinden, ist eines der Welträtsel, die niemand zu lösen imstande ist. Vielleicht – eine Theorie – hängt es damit zusammen, daß im Bett, in gegenseitiger, warmer Nähe, das Mitteilungsbedürfnis größer ist. Jedenfalls ist es Tatsache, daß große dichterische, staatsmännische und soziale Ideen oft in engster Nachbarschaft einer ausgezogenen Frau entstanden sind. Sicherlich ist es nicht zuviel gesagt, wenn man erklärt, daß im Bett durch einmalig überzeugende Argumente die Meinung der Frau schließlich doch mehr gilt als die des Mannes.

Heinz und Elisabeth lagen im Bett und besprachen eingehend den Fall Sanke/Brigitte.

»Eli«, sagte Konradi und legte seinen Theaterroman beiseite. »Ich weiß nicht, was du von dem Sanke hältst – aber glaubst du, daß Gitti ernsthaft daran denken könnte . . .«

»Ausgeschlossen!« Elisabeth räkelte sich. Das tat sie immer, wenn sie ein wichtiges eheliches Gespräch begann. »Meine Schwester tut das nicht!«

»Erlaube mal! Schließlich ist Gitti vierundzwanzig Jahre alt, ein erwachsener Mensch, und hat ein Recht auf das Leben.«

»Das schon. Aber nicht auf das Leben, an das *du* wieder denkst.«

»Wieso?« Heinz Konradi richtete sich auf. »Du willst mir schon wieder etwas unterstellen. Ich mache aber im Moment keine Witze, mein liebes Kind. Ich halte mir vor Augen, daß Herbert Sanke ein stattlicher Mann ist . . .«

»Er ist ein Hüne. Er würde Gitti zerbrechen. Gitti ist seelisch so zart . . .«

»Angenommen, er taucht wirklich hier noch einmal auf . . .« Heinz Konradi entwickelte seine Theorie mit Lebhaftigkeit und

Engagement. Dabei sah er, daß das rechte Bein seiner Frau auf der Steppdecke lag und auf und ab wippte. Das irritierte ihn sehr, aber er zwang sich, gedanklich nicht abzuschweifen, und sprach weiter: »Also er ist da. Und Brigitte ist auch da. Und die beiden verlieben sich ineinander. Das könntest du nicht verhindern . . .«

»Ich kann Gitti warnen.«

»Warnen? Hast du schon einmal ein junges Mädchen gesehen, das auf eine solche Warnung hörte? Sieh doch uns an. Deine Eltern, deine Tanten, deine Freundinnen, deine Bekannten, alle überschlugen sich in Warnungen. Ein Künstler – huh – ein Hungerleider, ein Schwarmgeist, bei dem geht nichts in die Tiefe, sein Charakter ist unausgeglichen, der weiß nicht, was er will, der hat keine Linie, mal schreibt er für, mal gegen eine Sache, mal sagt er: Die Expressionisten sind Verrückte! Dann wieder: Expressionismus, das ist die Kunst der seelisch Schauenden! Finger weg, Elisabeth, das ist ein Freigeist, er liest Nietzsche, Schopenhauer, Spinoza, Sartre, Heidegger und – um Gottes willen – sogar Karl Marx! Du armes, unglückliches Wesen! So hieß es doch von allen Seiten. Hast du darauf gehört? Nein, du hast mich trotzdem geheiratet!«

»Weil ich dich liebe«, sagte Elisabeth leise. Sie wippte stärker mit dem nackten Bein, aber Heinz Konradi war so sehr in seine Theorie versponnen, daß er dieses Wippen übersah.

»Aha!« rief er. »Weil du mich liebtest! Das Gleiche kann Brigitte sagen!«

»Sie kennt ja diesen Sanke noch gar nicht.«

»Auch du brauchtest nur zwölf Stunden, um dich in mich rettungslos zu verlieben.«

»Affe!« Elisabeth Konradi lächelte. Sie erinnerte sich gerne an die Zeit ihrer jungen Liebe und mußte immer wieder feststellen, daß die Sprache des Herzens eigentlich doch besser war als die

Sprache der kühlen Vernunft. Sie hatte damals Heinz Konradi gegen den Willen ihrer Eltern geheiratet und alle Einschränkungen auf sich genommen, vor denen ihr Vater sie in seinem kühl rechnenden Kaufmannssinn gewarnt hatte. Doch Reue? Hatte sie die Heirat jemals bereut, auch wenn das Geld nicht reichen wollte, wenn manchmal sogar schon Schmalhans Küchenmeister gewesen war? Deshalb Reue? Nie ... nie! Was wissen denn Menschen, die das wahre Glück nicht kennen, was eine wirkliche Liebe zu tragen versteht! Wie winzig sind dagegen gewisse Einschränkungen, wie unscheinbar ist die Sorge, durch die Engpässe einer wirtschaftlich noch nicht ausreichend gesicherten Existenz steuern zu müssen.

Für Heinz Konradi war dies selbstverständlich. Der Konkurs von zwei Verlagen warf ihn an den Beginn seiner Laufbahn zurück, und verbissen ging er daran, den dornigen Weg in die Höhe wieder Schritt um Schritt zu ersteigen. Daß seine Frau ihm dabei half, hielt er für selbstverständlich.

Er saß noch immer im Bett und starrte vor sich hin.

Die langen Haare standen ihm gerauft um den schmalen Kopf.

»Eigentlich ist es dumm von uns, daß wir uns Gedanken um Brigitte machen. Wissen wir denn, ob deine Schwester nicht schon längst einen Freund hat?«

Elisabeth schüttelte energisch den Kopf.

»Meine Schwester? Nein, die nicht! Ich kenne Gitti. Sie lebt allein für ihre Schule und ihre Weiterbildung. Darin ist sie konsequenter und stärker als ich. Warum sollte sie heiraten, wenn sie Lehrerin ist?«

»Wer spricht denn vom Heiraten?«

»Na – du!«

»Nicht im geringsten. Ich spreche lediglich vom Verlieben.«

Elisabeth Konradi setzte sich mit einem Ruck im Bett auf. Dadurch rutschte die Steppdecke von ihren Schultern, und Heinz hatte Gelegenheit, erfreut zu sehen, daß er der schwülen Sommernacht zu danken hatte. Elisabeth lag ohne den gewohnten Pyjama im Bett. Sein Interesse, sich noch länger mit seiner fernen Schwägerin zu beschäftigen, sank.

»Verlieben?« sagte Elisabeth gedehnt. »Lieber Heinz, das kommt für Gitti auch nicht in Frage. Sie wirft sich nicht weg, sie ist sich zu schade für ein Abenteuer. Sie widersteht jeder Versuchung auf diesem Gebiet. Ich kenne meine Schwester.«

»Graue Theorie«, winkte Konradi ab. »Wenn ein Mann wirklich ein Mann ist, der es versteht, im richtigen Augenblick zuzugreifen, dann wird jede Elisabeth, jede Brigitte, jede Martha, jede Erna und wie sie alle heißen mögen, nichts anderes tun, als glücklich und selig das Herz öffnen.«

Damit knipste er schnell das Licht aus und ging der Frage nach, ob seiner Theorie auch in der Praxis der nötige Wahrheitsgehalt innewohnte.

Das war der Fall.

Herbert Sanke saß seinem Vater Paul Sanke in der großen Bauernstube gegenüber. Auf dem Herd summte ein Wasserkessel. Das Perpendikel einer uralten Uhr pendelte knackend hin und her. Auf dem langen, weiß gescheuerten Tisch standen eine Flasche Korn und zwei Gläser.

»Tja, Vater«, sagte Herbert Sanke nach langem Schweigen. »Das ist alles so merkwürdig. Ich weiß nicht mehr, wie das Mädchen aussieht, ich wußte keinen Namen mehr, keinen Wohnort, nichts – ich hatte es drei Stunden gesehen und gesprochen –, und doch war es seitdem immer in meinen Gedanken, war es ein fernes, ideales Bild einer liebenswerten Frau. Ich wußte: Sie ist blond, sie ist groß und stattlich, sie hat ein altes westfälisches kerniges Erbe in sich, ist gesund, rein, ein Produkt vieler Generationen. Und nun kann ich sie plötzlich wiedersehen. Vater, was meinst du, was rätst du mir: Soll ich hingehen?«

Paul Sanke, der Verwalter des großen Gutes, ein Mann, dessen Beine fest in der Erde verwurzelt waren, wiegte zweifelnd den grauhaarigen Kopf. Bevor er antwortete, kippte er ein Gläschen Korn. Seine blauen Augen blickten kritisch auf seinen Sohn.

»Zu raten ist da wenig, Herbert. Du bist alt genug. Ich weiß nur, daß ein Wiedersehen nach Jahren meistens eine Enttäuschung ist.«

»Brigitte Borgfeldt ist jung, Vater, 24 Jahre erst. Da kann ein Mensch keine Enttäuschung sein. Da ist er reifer, schöner . . . vollendeter geworden.«

»Kann sein, muß aber nicht sein.« Paul Sanke stopfte sich eine Pfeife und zündete sie bedächtig an. Dann paffte er einige dicke Qualmwolken vor sich hin und blickte sinnend in den langsam zerfließenden, zähen Rauch. Er ist ein Philosoph, dachte in diesem Augenblick Herbert Sanke. Ein Philosoph des praktischen Lebens. Ein alter Bauer, der aus dem Schoß der Erde seine Kraft zieht.

»Zwei Jahre«, sagte Paul Sanke, »sind für ein junges Mädchen viel. Sie können eine neue Welt für sie mit sich gebracht haben. Auf alle Fälle wird sie in diesen beiden Jahren menschlich anders geworden sein. Ein Mann wächst langsam in sein Leben hinein wie eine Eiche, die ihre Zeit braucht. Ein Mädchen springt ins Leben, verstehst du? Ihre Seele ist ihr Leben, und oft genügt nur eine Stunde, Seele, Sinn und Leben zu verwandeln. Welch großer Zeitraum sind zwei, drei Jahre für ein Mädchen! Sie kann in einer Stunde fallen – oder aufwärts steigen . . .«

Herbert Sanke sah sinnend vor sich hin. Er suchte in seinem Inneren eine Antwort und fand sie nicht. Er fühlte Zweifel in sich aufsteigen und kämpfte gegen dieses Gefühl an mit der Macht seines Glaubens an seine Ideale. Das leise Summen des Wasserkessels auf dem Herd beruhigte ihn wieder. Die Stille in der großen Bauernstube war wohltuend.

»Brigitte Borgfeldt ist Lehrerin«, sagte er nach einer Weile. »Ihr Lebenskreis ist fest umrissen. Ich kenne das Leben eines Lehrers, ich habe Hunderte von Schulen besucht, ich weiß, daß ein Lehrer seinen Schülern Beispiel sein muß. Ich habe auch ihre Schwester und ihren Schwager Heinz Konradi kennengelernt, einen Privatgelehrten und Schriftsteller. Scheint mir ein Menschenverächter und Genußmensch in einer Person zu sein. Auf der einen Seite Zyniker, auf der anderen unheilbarer Idealist. Und seine Frau, Brigitte Borgfeldts Schwester: realistisch, fraulich, pflichtbewußt, ausgestattet mit dem Verstand und der Energie fast eines Mannes und doch auch mit all den kleinen, niedlichen, verzeihlichen Schwächen einer typischen Frau. Nein, Vater, wenn Brigitte in diesen Kreis eingebunden ist, glaube ich an keine Enttäuschung.«

»Du liebst dieses Mädchen?« fragte der Alte lächelnd.

»Liebe?« Herbert Sanke zuckte mit den Schultern. Was ist Liebe überhaupt, dachte er plötzlich. Das Küssen eines Mädchens? Das Hinnehmen eines zitternden Körpers? Ist das Liebe? Oder ist es der stille Wunsch, ständig den einen Menschen um sich zu haben, immer, ein ganzes Leben lang – nur den einen Menschen?

»Ich weiß nicht, ob ich sie liebe, Vater«, sagte er langsam. »Ich weiß überhaupt nichts. Ich weiß nur, daß ich sie wiedersehen muß.«

Der alte Sanke nickte. Seine Pfeife qualmte fett. Der Wasserkessel sang.

»Ich schütte uns einen Tee auf«, meinte er behäbig. »Wir wollen uns darüber noch etwas unterhalten. Wenn du sagst, ich muß sie wiedersehen, dann sollte man schon meinen, daß das Schicksal ein Wort gesprochen hat.« Er schob seinem Sohn ein Glas Korn hin und nickte. »Da, trink erst einmal, Herbert.«

Laut tickte die alte Uhr in der Stille. In dem Kupferkessel brodelte das Wasser.

Und erst gegen Morgen verlöschte das Licht hinter den kleinen Fenstern der Bauernstube.

Am nächsten Morgen kam mit der Eisenbahn Brigitte Borgfeldt.

Frisch, jung und mit lachenden Augen sprang sie aus dem Waggon, fiel ihrer Schwester um den Hals und begrüßte ihren Schwager mit herzlichem Handschlag. Ihre Fröhlichkeit und unbeschwerte Lebenslust verjagten eine als Begrüßung erdachte, gesetzte kleine Rede Heinz Konradis, der sich statt dessen mit dem Koffer Brigittes belud und den beiden Damen folgte.

Arm in Arm verschlungen, traten die Schwestern aus dem Bahnhof, wandten sich dann nach links und gingen die breite Allee entlang, von der Ebbenrath umrundet wurde.

Sie sahen nicht, wie sich rechts aus dem Eingang des Bahnhofhotels die hohe und breite Gestalt eines Mannes schob und ihnen mit leuchtenden Augen nachblickte. Auch Heinz Konradi, den Brigittes Koffer mehr als ihm lieb war in Anspruch nahm, bemerkte ihn nicht. Für ihn bedeutete der Besuch Brigittes die Notwendigkeit einer erneuten Repräsentation seiner Ehe, denn Brigittes Augen – das glaubte Heinz Konradi stark zu fühlen, waren auch die Augen seiner Schwiegereltern.

Das Leben ist nicht einfach, wenn man Pessimist ist . . .

»Teufel!« stieß inzwischen im Selbstgespräch Herbert Sanke halblaut hervor und rieb sich das Kinn. »Das ist sie also, die Brigitte Borgfeldt. Anders als in der Erinnerung, ganz anders . . . reifer, lebendiger, schöner. Ob du da noch eine Chance hast . . . du langer, dummer Herbert Sanke?«

»Ein Charakteristikum unseres Lebens ist es, daß es zur Hälfte von Zufällen bestimmt wird«, sagte Heinz Konradi am Nachmittag dieses Tages, während er in einer Kirschtorte herumstocherte, deren Früchte Elisabeth aus Bequemlichkeit nicht entkernt hatte. Es fand deshalb ein ausgesprochenes Spuckessen statt, das schmerzhaft an Elisabeths Hausfrauenehre nagte. Ihr Göttergatte hielt es aus rein erzieherischen Gründen für notwendig, derart konvulsivisch die Kirschkerne auszuspucken, daß Elisabeth abwechselnd blaß und rot wurde und sich vornahm, am Abend im Bett eine Strafpredigt loszulassen, die wieder einmal in dem wirkungsvollen und als letzten Trumpf auszuspielendem Satz gipfeln sollte: »Wenn ich schon das Geld verdienen muß, habe ich nicht die Zeit, in der Küche zu stehen und Kuchen herzustellen, an denen du nichts auszusetzen hast.«

Diese Sentenz wurde Heinz Konradi des öfteren unter die Nase gerieben, trotz aller Liebe Elisabeths zu ihm. Er hatte sich das selbst zuzuschreiben. Provokationen wie die, demonstrativ Kirschkerne auszuspucken, standen ihm nun mal in seiner Situation nicht zu, sie schlugen auf ihn zurück. Er hätte sich das schon längst merken müssen.

Heinz Konradi sah seine Schwägerin an.

»Zufälle können schicksalhaft werden«, fuhr er fort. »Erinnerst du dich noch an einen Milchkontrolleur Herbert Sanke?«

»Milchkontrolleur Herbert Sanke?« Brigitte Borgfeldt schüttelte den Kopf. »Nein, wer soll das sein?«

»Wir lernten ihn vor einigen Jahren am Stausee kennen.«

»Ach – der!« Brigitte lachte. »Der Rekordschwimmer! Wie kommst du auf den?«

»Er war hier, hat den Beruf gewechselt, kontrolliert nicht mehr Milch, sondern vertritt Lehrmittel, verstehst du, er ist Vertreter für Lehrmittel.«

»So?«

»Du scheinst Eindruck auf ihn gemacht zu haben.«

»Ach was!« fiel Elisabeth ihrem Mann ins Wort, und zu Brigitte sagte sie: »Richtig ist, daß er hier war, alles andere ist Quatsch.« Damit wollte sie das Thema abgeschlossen sehen.

Doch Brigitte Borgfeldt war darin anderer Ansicht. Sie erkundigte sich interessiert nach dem Aussehen Herbert Sankes und war überrascht, als sie hörte, daß sein Vater in der Nähe, in Marktstett, wohnte und Herbert zur Stunde bei ihm weilte.

»Kommt er nicht herüber?« fragte sie ihren Schwager, da sie natürlich merkte, daß in dieser Angelegenheit eher ein Gespräch mit diesem als mit Elisabeth zu führen war.

Grinsend nickte Heinz. Unter dem Tisch trat ihm Elisabeth gegen das Schienbein. Sie blickte ihn böse an und sagte sich, daß sie die erste Runde wohl verloren habe.

Elisabeth Konradi witterte Gefahr. Ich muß wachsam sein, ermahnte sie sich. Sie stand auf, räumte den Kaffeetisch ab und verzog sich in die Küche. Dort klapperte sie mit Tellern und Tassen und suchte in Gedanken nach einer Möglichkeit, dem Walten der Zufälle, von dem ihr unverantwortlicher Mann gesprochen hatte, einen Riegel vorzuschieben.

Wenn Frauen etwas wollen, finden sie dazu auch Wege. Sie unterscheiden sich darin grundlegend von den Männern, die erst auf den Weg gebracht werden müssen.

Außerdem besitzt eine Frau stets eine gute Freundin. Sie bringt diese gewissermaßen als Aussteuer in die Ehe mit ein, und es gibt nichts zwischen Himmel und Erde, das nicht »im Vertrauen« mit dieser Freundin durchgesprochen werden könnte.

So besaß denn auch Elisabeth Konradi eine solche Freundin. Diese hieß Anny von Borcken, hatte von ihren Raubritter-Vorfahren die Burschikosität und Derbheit geerbt und fand sich im

Vokabularium nahezu ordinärer Ausdrücke besser zurecht, als in der geschliffenen, geschraubten Sprache – genannt Konversation – der Gesellschaft.

An diese Freundin dachte Elisabeth Konradi, legte Teller und Spültuch beiseite und verließ unter dem Vorwand eines dringenden Einkaufes die Wohnung, um schnell um die Ecke zu Anny von Borcken zu springen und sich Rat zu holen.

Sie konnte nicht ahnen, daß fünf Minuten später Herbert Sanke vom Rad sprang und klopfenden Herzens an Heinz Konradis Tür klingelte.

Anny von Borcken, groß, burschikos und Anbeterin einer guten Zigarette, war durchaus nicht erstaunt, als Elisabeth Konradi etwas außer Atem bei ihr eintrat. Sie bewohnte ein kleines Häuschen mit einem winzigen Garten und teilte sich die Zeit so vortrefflich ein, daß gewöhnlich erst um halb zwölf Uhr mittags ihr Tag begann.

»Na, meine Liebe«, begrüßte Anny von Borcken ihre Freundin. »Du guckst so sauer. Wo brennt's denn? Krach zu Hause, weil die Moneten wieder nicht reichen? Kind, reg dich bloß ab, Aufregung verursacht Falten, hat unsere Religionslehrerin immer gesagt.«

»Ach, du ahnst es ja nicht!« rief Elisabeth und setzte sich. »Brigitte ist da!«

»Das ist doch ein Grund, sich zu freuen.«

»Ja, schon. Aber ein Mann ist hinter ihr her.«

»Ein noch größerer Grund, sich zu freuen.«

»Ein Kerl wie ein Elefant. Ein Tarzan.«

»Schööön.«

»Schön?« Elisabeth blickte Anny entrüstet an. »Das nennst du schön? Unsere Gitti und ein solcher . . . solcher . . . mir fehlen die Worte. Du solltest ihn sehen. Der zermalmt sie glatt.«

Anny von Borcken schüttelte den Kopf.

»Weißt du nicht, daß gerade die Hünen zahm wie Lämmer sind? Je größer und wuchtiger ein Mann ist, desto vorsichtiger und zarter wird er mit einer Frau umgehen. Das ist eine alte Weisheit.«

Elisabeth Konradi vergaß zunächst, darauf eine Antwort zu geben. Überrascht sah sie ihre Freundin an und wunderte sich, welcher Weisheiten Anny von Borcken fähig war. Doch dann warf Elisabeth mit einem Ruck den Kopf in den Nacken und sagte laut: »Wie dem auch sei, ich bin dagegen!«

»Danach wirst du überhaupt nicht gefragt werden«, meinte Anny von Borcken trocken. »Brigitte ist alt genug, um sich deiner Bevormundung zu entziehen. Und überhaupt mußt du dir abgewöhnen, auch außerhalb deines Schulzimmers die unfehlbare, autoritäre Lehrerin zu spielen.«

»Mein Gott, niemand kennt doch diesen Herbert Sanke! Vor einigen Jahren haben wir kaum drei Stunden mit ihm gesprochen und gestern nachmittags . . .«

»Und trotzdem ist er in Gitti verliebt?«

Elisabeth machte große Augen. Diese direkte Frage brachte sie aus dem Konzept.

»Das . . . weiß ich eben nicht«, sagte sie stockend. »Ich will dem vorbeugen . . . verstehst du . . . es *könnte* sich ja so entwikkeln.«

»Verrückt!« lachte da Anny von Borcken. »Macht die dumme Trine sich Sorgen um etwas, das sich vielleicht so entwickeln *könnte*. K-ö-n-n-t-e. Eli, Mensch, du alte Steißtrommlerin, laß die Menschen, wie sie sind, und kümmere dich um dein Einmaleins und deinen Heinz. Du warst auch einmal vierundzwanzig Jahre und hattest andere Sorgen, als die Seelen sträflich Verliebter zu retten. Entschuldige, aber du stiehlst mir nur meine Zeit. Ich erwarte Besuch, mit dem ich ins Bett gehen möchte, verstehst du?«

Als Elisabeth Konradi wieder draußen auf der Straße stand, kam sie sich unglücklich und äußerst dumm vor.

Was hatte sie eigentlich gegen Herbert Sanke? Er war groß und stark und von einer außergewöhnlichen, wenn auch etwas tapsigen Vitalität. Dem Gespräch mit ihr war zu entnehmen gewesen, daß er Geschäftsgeist besaß, sparsam war und vor keiner Arbeit zurückschreckte. Er besaß zwei Hände, die in keiner Situation versagen, sondern eine Frau in jedem Falle ernähren würden. Er war ein Mann, bei dem eine Frau Schutz suchen und sich geborgen fühlen konnte, in der Sicherheit, die er unbewußt ausstrahlte.

Und doch, Elisabeth Konradi stemmte sich dagegen, Herbert Sanke an der Seite Brigittes zu sehen – ein inneres Gefühl, ein unerklärliches, ließ eine Gegnerschaft dem ahnungslosen Manne gegenüber entstehen.

Ob Heinz auch so denkt, fragte sie sich, als sie sich wieder ihrer Wohnung näherte.

Ach, Heinz – dem war das gleichgültig. Dem war überhaupt alles gleichgültig, was nicht in das Gebiet der Literatur und des Theaters einzugliedern war. Er war ein Idealist und Zyniker zugleich und zog sich in Zweifelsfällen mit dem dummen Satz zurück: »Die größte Strafe des Lebens ist das Leben . . .«

Ihn zu fragen, war sinnlos. Und um allein zu handeln, war sie sich nicht sicher genug, ob das, was sie tun wollte, auch richtig war.

Tief in Gedanken schritt sie ihrer Wohnung zu und schreckte erst auf, als sie vor der Haustür das Fahrrad Herbert Sankes stehen sah.

*

Auf der gleichen Straße wie Heinz Konradi, ein wenig weiter dem Ortsausgang zu, hauste in einem Dachzimmerchen Erich Kiel. Er war ein mittelgroßer, untersetzter, in der Mitte der Vierzig stehender Mann mit einer Halbglatze, der vom Offizier nach dem Krieg zum kleinen Vertreter herabgesunken war und sich mit Mühe durch das feindliche Leben schlug. Rhetorisch begabt und vollgesogen mit einem Wissen, aus dem er keinen unmittelbaren Nutzen mehr ziehen konnte, repräsentierte er mit Würde den Stand der aus der Bahn Geworfenen und versorgte die Familie Konradi wöchentlich mit neuen Plänen und erregten Auslassungen über die Unfähigkeit der Maßgeblichen, das Staatsschiff so zu steuern, daß es auch an seinem Hafen vorbeikam. Er verachtete deshalb auch jede produktive Arbeit als Form einer die besitzenden Klassen bereichernden Fron und verrannte sich in den Gedanken, die Welt müßte sich um ihn drehen, um überhaupt einen Sinn zu haben.

Im Augenblick trug er sich mit dem festen Gedanken, nach Südafrika auszuwandern, um dort die Stufenleiter des Lebens neu emporzuklettern, mit Hilfe der Hottentotten. Hier, in Deutschland, hatte er die Vertretung des Magenlikörs »Tropfenfänger« übernommen und mußte sich mit den Gastwirten herumschlagen.

Erich Kiel lag gerade auf dem Bett in seiner Mansarde und las in einem südafrikanischen Reiseführer, als Heinz Konradi die Treppen heraufstürmte und in sein Zimmer eindrang. Heinz klopfte dem Freund zur Begrüßung auf den Bauch und setzte sich auf die quietschende Bettkante.

»Du, Erich«, sagte er mit fliegendem Atem, »ich brauche sofort deinen Einsatz. Brigitte ist da, ein gewisser Herbert Sanke ebenfalls . . .«

»Wer ist Herbert Sanke?« Erich Kiel legte das Buch weg und griff nach seinem Zigarettenpäckchen.

»Ein Bekannter. Schwimmt phantastisch. Vertreter für Lehrmittel, früher Milchprüfer. Weiß nicht, weshalb er umgestiegen ist. Soll uns auch egal sein. Ein Bulle, sage ich dir. Hat auf Gitti seine zwei Augen und das Herz dazu geworfen. Aber Eli ist dagegen.«

»Wieso? Kann sie das nicht Brigitte überlassen?«

»Das sage ich auch. Und darum brauche ich dich dringend. Auf mich hört sie nicht. Sie traut mir nur Unsinn zu und gibt mir Kontra, also mußt du mit deiner Schnauze . . .«

»Erlaube mal!«

». . . mit deiner großen Schnauze unbedingt versuchen, Elisabeth von Brigitte und Herbert Sanke fernzuhalten. Ich werde einen Spaziergang inszenieren, bei dem du meine Frau irgendwie von uns trennen mußt. Ich lasse dann Gitti und Sanke ebenfalls allein, und die Sache kann ihren Lauf nehmen.«

Erich Kiel starrte seinen Freund an und richtete sich langsam auf.

»Junge, da stimmt doch etwas nicht. Was hast du vor? Das riecht nach Kuppelei.«

»Ausdrücke hast du!« Konradi zündete sich ebenfalls eine Zigarette an. »Was ich mache, dient dem Wohle aller . . . wenn's klappt, meine ich. Dabei sollst du mir ein wenig helfen. Ist das zuviel verlangt?«

Erich Kiel faßte Heinz Konradi an den Rockaufschlägen und zog ihn zu sich heran. »So, nun mal raus mit der Sprache! Jetzt will ich es genau wissen. Beichte, gestehe, bekenne Farbe! Was hast du vor? Worum geht's dir? Ich kenne dich doch. Keinem anderen wäre es gleichgültiger, ob dieser Milchprüfer . . .«

»Lehrmittelvertreter.«

». . . Lehrmittelvertreter bei Brigitte an sein Ziel kommt oder nicht. Also, wieso bist du so sehr daran interessiert?«

Heinz Konradi druckste ein wenig herum, doch dann begann

er zögernd, seine durchaus wirtschaftlichen Gedanken preiszugeben.

»Mein Verlag ist pleite«, sagte er. »Ich habe siebentausend Mark an Honoraren eingebüßt, das weißt du . . .«

»Allerdings.«

»Eine Stellung als Redakteur ist schwer zu bekommen. Die Posten sind alle besetzt.«

»Weiß ich auch.«

»Herr Sanke ist Vertreter in Lehrmitteln. Das hat Zukunft, sage ich dir, denn Schulen und Schüler wird es immer geben, und sie brauchen ständig neue Lehrmittel: Kreide, Schwämme, Zeigestäbe, Tafeln, Tintenfässer, Karten, Modelle, Chemikalien, physikalische Geräte und weiß der Teufel, was noch alles. Stell dir einmal vor, dieser Sanke heiratet Gitti . . .«

»Ich verstehe.« Erich Kiel nickte und grinste, aber Heinz Konradi winkte heftig ab.

»Nichts verstehst du! Ich trete in das Geschäft ein . . .«

»Wie denn? Schwebt dir eine GmbH vor oder eine oHG?«

»Grins nicht so blöd. Eine GmbH, du wirst schon sehen. Gewinn unter Schwägern natürlich fünfzig zu fünfzig. Das ist Ehrensache. Wir bauen einen Vertreterstab auf und kassieren nach einem halben Jahr nur noch das Geld ein. Die Ware läuft über eigene Rechnung. Mensch, Erich, das ist meine helle und sonnige Zukunft.«

»Und dafür willst du deine Schwägerin Brigitte opfern?«

»Opfern?« Konradi streckte abwehrend beide Hände aus. Er liebte solche theatralischen Gesten. »Wer spricht von opfern? Vielleicht ›opfert‹ sich Gitti mit Begeisterung? Ich will der Sache einen kleinen Anstoß geben, verstehst du? Nachhelfen. Die Dinge in die richtige Bahn lenken. Alles andere macht schon das weise Schicksal . . .«

So kam es, daß nach kurzer Zeit Heinz Konradi wieder zu

Hause anlangte und aufgekratzt erzählte, er habe im Zigaretten-laden Erich Kiel getroffen. Es hätte doch wohl keiner etwas dage-gen, wenn sich sein guter Freund dem fröhlichen Abend an-schlösse.

Da sich aus Höflichkeit niemand entschloß zu widersprechen, stürzte sich Erich Kiel dann wie verabredet, mit allem rhetori-schen Aufwand auf Elisabeth Konradi, die unter diesem Wort-schwall klein, harmlos, bedrückt und willenlos wurde.

Der Triumph über seinen gelungenen Schachzug leuchtete Heinz noch aus den Augen, als er sah, daß die Spaziergänger sich in zwei Gruppen spalteten und Erich Kiel Elisabeth mit einem gelehrten Vortrag an einen Strauch fesselte, während Brigitte und Herbert Sanke weitergingen und hinter der nächsten Kurve ver-schwanden.

Und Elisabeth Konradi war höflich und beherrscht genug, die-sen Untergang ihrer Vorsätze mit Würde zu ertragen.

Man soll die männliche Logik nie unterschätzen. Es ist einer der alten, bekannten und nicht auszumerzenden Fehler der weibli-chen Selbstsicherheit, die Geisteskraft des Mannes nicht anzuer-kennen und zu denken, daß frauliche Diplomatie stärker und nachhaltiger sei.

Die Unschlagbarkeit der Frau liegt im Fraulichen.

Aber sämtlicher Reiz des Fraulichen versagt gegenüber einer nüchternen männlichen Logik.

Das mußte Elisabeth einsehen, als sie langsam, ganz langsam die Intrige ihres Gatten zu durchschauen begann. Doch in diesem Augenblick war es für ein tatkräftiges Eingreifen schon zu spät, und Brigitte und Herbert Sanke wandelten ungestört durch die schöne Landschaft.

»Warum haben Sie mir nicht geschrieben?« fragte Sanke, als sie nebeneinander dahinschritten. »Ich hatte so fest damit gerechnet . . . und Sie hatten es mir so fest versprochen.«

Brigitte Borgfeldt sah zu Boden. Die tiefe Stimme des großen Mannes nahm sie gefangen. Sie wollte eine Antwort geben und fand doch nicht die Worte. Endlich, nach einer ganzen Zeit des Schweigens, sagte sie: »Wo käme man hin, wollte man jeder flüchtigen Bekanntschaft schreiben? Außerdem verlor ich Ihre Adresse, und das Leben stürmte so auf mich ein, daß ich jenen Sommertag schnell vergaß.«

»Ach – Sie vergaßen mich?« fragte Herbert Sanke leise.

Brigitte zögerte. »Ich . . . glaube . . . ja«, sagte sie dann stokkend. »Sie müssen das verstehen. Ich machte meine Lehramtsprüfung, ich hatte plötzlich Pflichten und Verantwortlichkeiten, ich stand in einem anderen Lebenskreis, der dem einer unbeschwerten Studentin der Pädagogischen Hochschule nicht mehr glich. Und dann . . . und dann . . . Herr Sanke . . . warum sollte ich Ihnen schreiben . . . nach drei kurzen Stunden, die wir uns gesehen hatten?«

»Ich dachte, Fräulein Brigitte, daß drei Stunden vielleicht doch nicht aus einem Leben zu streichen sind. Auch ich hatte in den vergangenen Jahren schwer zu kämpfen, bis ich einen festen Kundenkreis hatte und sagen konnte, mein Beruf ernähre mich. Auch ich mußte die Zähne zusammenbeißen, mußte um mich schlagen und treten, um nicht im Strudel der Zeit zu versinken. Und doch lebten irgendwo in meinem Inneren drei kleine, sonnige Stunden und das Bild eines Mädchens; Gitti, so rief man es. Es war ein Ideal, zugegeben – aber dieses Ideal gab mir Kraft und den Glauben an ein Wiederfinden.«

»Und nun enttäuscht Sie die Wirklichkeit?« Brigitte Borgfeldt blickte Herbert Sanke mit lachenden Augen an. »Ideale sind die schlechtesten Erinnerungen . . .«

»Nein, nein! Machen Sie sich bitte nicht über mich lustig.« Herbert Sanke hob abwehrend die Hand. »Die Wirklichkeit ist schöner, viel schöner, greifbarer, mitreißender. Jetzt weiß ich, daß ich keinem Ideal, sondern einem Wunsche nachgejagt bin und alle Träume meinen Sehnsüchten entsprangen.«

Brigitte Borgfeldt schwieg. Aber ihre Gedanken arbeiteten und sagten ihr, daß dieser große, ungeschlachte Mann ungemein gewann, wenn man ein wenig in ihn drang. Er schien ein gläubiges, naives Herz zu haben, das er ängstlich verbarg, um das Massige seiner Gestalt nicht zu einer Karikatur werden zu lassen. Er schien ein treuherziger, guter Kerl zu sein, den eine Frau um den Finger wickeln konnte, wenn sie es verstand, seine Gutmütigkeit in das tägliche Leben zu verpflanzen.

»Welche Antwort soll ich Ihnen darauf geben?« fragte Brigitte nach einer Weile, während Herbert Sanke einen Zweig am Weg durch die Hand gleiten ließ.

»Keine Antwort, Fräulein Brigitte«, erwiderte er schnell und ließ fast erschreckt den Zweig los. »Ich erwarte keine Antwort, ich wünsche mir nur, daß Sie einmal über meine Worte unbefangen und wohlwollend nachdenken. Vielleicht ist auch das falsch – wir modernen Menschen denken zuviel und vergessen darüber die Seele. Aber wenn Sie einmal in einer stillen Stunde Zeit und Lust haben, dann fragen Sie doch Ihr Herz, ob es so weit am Leben vorbeigehen will.«

»Obwohl wir uns so wenig kennen?«

»Ja! Obwohl wir uns so wenig kennen. Vielleicht kommt dann die Zeit, in der wir zwei uns beobachten und prüfen können.«

Damit versickerte das Gespräch in den Gedanken, die beiden durch den Kopf gingen. Stumm schritten sie über die knirschenden Wege, machten kehrt und näherten sich wieder dem Strauch, über den Erich Kiel immer noch Elisabeth etwas zu erzählen wußte. Heinz Konradi stand dabei und amüsierte sich innerlich.

»Aha!« rief er, als Brigitte Borgfeldt und Herbert Sanke zwischen den Büschen auftauchten. »Unsere Ausreißer! Sie, Herr

Sanke, verdrehen Sie meiner Schwägerin nicht den Kopf! Und du, Gitti, verfahre deinerseits nicht so mit Herrn Sanke!«

Er lachte laut, aber sein Lachen war gekünstelt und klang flach und gepreßt.

»Die Gegend hier ist schön«, versuchte Herbert Sanke abzulenken. »Ich liebe die Natur. Mein Geburtshaus stand in der Stadt. Heute liegt's in Trümmern . . .«

»Gehen wir nach Hause«, sagte Heinz Konradi rasch. Er fühlte, daß die Stimmung betreten und nachdenklich wurde.

Und das durfte nicht sein. Das lief seinem Plan zuwider.

Mit langen Schritten lief er den anderen weit voraus, sprang die Treppe zur Wohnung hinauf und stellte als erstes das große Radio an. Dann brachte er eine Flasche Schnaps aus dem Bücherschrank zum Vorschein (sie stand hinter Schillers Gesammelten Werken) und holte auch eine frische Packung Zigaretten herbei, setzte seinen Hund Muckelchen in Positur und sich selbst in den Kaminsessel.

Als Brigitte, Elisabeth und Herbert Sanke das Zimmer betraten, empfing sie ein lustiger Foxtrott und ein die Musik genießender Dackel.

Wahrhaftig, es lohnte sich doch, ein theatralisches Gemüt zu besitzen . . .

Der Abend verlief äußerst harmonisch.

Unter »harmonisch« verstand Heinz Konradi, daß Herbert Sanke im Laufe der Zeit seinen Arm um Brigittes Schulter legte, ohne auf Widerstand zu stoßen; daß Erich Kiel eine neue Flasche Branntwein aus seinem Zimmer holte; daß Elisabeth eine kalte Platte richtete. Nicht zur Harmonie gehörte es, daß Elisabeth sich weidlich ärgerte, weil Gitti den Arm des Herrn Sanke nicht von ihrer Schulter fegte.

Konradi selbst hielt sich zurück. Er warf nur hie und da einmal ein Wort in die Unterhaltung, die zum größten Teil von Erich Kiel mit langen Auslassungen über das Wesen des Lehrers und seine Stellung in der Gesellschaft bestritten wurde. Heinz lachte dumm, wenn Herbert Sanke Brigitte an sich drückte und diese ihn dabei zwischen Abwehr und Zweifel schwebend ansah. Überhaupt war der Abend so richtig geschaffen, eine Plattform zu bilden, auf der man später klug und diplomatisch sein Gebäude der GmbH errichten konnte.

Elisabeth Konradi war ratlos. Die Ereignisse schlugen über ihr zusammen. Statt den durch Alkohol und Brigittes Nähe immer kühner werdenden Herrn Sanke in seine Schranken zu weisen, lächelte ihr Mann, dieser Blödian, dazu und tat so, als habe dies alles seine völlige Richtigkeit.

Mit einem solchen Menschen ist man nun verheiratet, dachte Elisabeth plötzlich und wußte im selben Augenblick nicht, ob diese Feststellung Ablehnung oder Anerkennung beinhaltete. Um einen Ausweg aus der Situation zu finden, spielte sie die plötzlich Erschrockene und sprang mit einem Satz auf.

»Himmel, das hätte ich beinahe ganz vergessen! Wir sind doch heute Abend bei Anny eingeladen!«

Der guten Anny von Borcken wäre, wenn sie das gehört hätte, die Zigarette aus dem Mund gefallen, denn sie wußte weder etwas von einer Einladung, noch war sie überhaupt auf einen Besuch vorbereitet. Sie hatte mit dem Mann, den sie erwartet hatte, lecker geschlafen – so pflegte sie sich auszudrücken –, hatte ihn wieder verabschiedet, lag nun zufrieden auf der Couch und las einen Kriminalroman, der damit begann, daß eine unbefriedigte Ehefrau ihrem Mann Gift in den Kaffee schüttete. Anny konnte das verstehen.

Elisabeth Konradi kalkulierte damit, daß Herr Sanke sofort aufspringen und sich mit einer Entschuldigung verabschieden würde. Das hätte Elisabeths Rechnung aufgehen lassen. Einer

zweiten Begegnung mußte eben dann mit allen Mitteln vorge-
beugt werden.

Herr Sanke stand auch brav auf, aber . . .

Aber Heinz Konradi, der ruhig sitzen blieb, sagte niederträch-
tig grinsend: »Zu Anny? Och, das kann man verschieben. Wir
sitzen jetzt so gemütlich beisammen, daß es geradezu sträflich
wäre, dem ein Ende zu machen. Behalten Sie nur Platz, Herr
Sanke, meine Frau kann das abwenden.«

Erfreut ließ sich Herbert Sanke wieder auf die Couch fallen
und legte abermals zärtlich den Arm um Brigitte.

»Aber Anny wartet!« rief Elisabeth schier verzweifelt. Ihr er-
hoffter Sieg rückte in weite Ferne. »Es wäre unhöflich . . .«

». . . Herrn Sanke jetzt nach Hause zu schicken«, fiel Heinz
ein. »Weißt du was? Du springst rasch zu Anny hinüber und sagst
ab.«

»Sie hat extra Kuchen gebacken.«

»Wie ich Anny kenne, verzehrt sie den auch ganz gern allein.
Der Kuchen schmeckt übrigens morgen noch besser als heute,
wenn er noch halb warm ist.« Heinz Konradi strahlte. »Elichen,
tu, was ich dir sage. Anny wird nichts dagegen haben, ich wette
mit dir.«

Elisabeth biß die Zähne aufeinander. So ein Schuft, dachte sie.
Eine solche Gemeinheit! Verzerrt lächelte sie Herrn Sanke an und
sagte: »Na schön, dann springe ich mal rüber. In einer Viertelstunde bin ich wieder da. Entschuldigt mich bitte . . .«

Und dann stand sie auf der Straße, hätte heulen können vor
Wut und Ohnmacht, rannte wirklich zu Anny von Borcken und
stürmte wutschnaubend in ihr Zimmer.

Was in der folgenden halben Stunde besprochen wurde, ist nie
herausgekommen. Es blieb das Geheimnis zweier Frauenherzen,
und es wird es ewig bleiben, denn das ist das Schreckliche an dieser ganzen Aussprache: Sie war sinnlos; man kam zu keinem

Entschluß.

Das Entsetzliche war eingetreten:

Die weibliche Diplomatie und Strategie versagte!

Um die gleiche Zeit schickte sich der Polizeiposten des Dorfes Marktstett an, zu Bett zu gehen. Er legte Koppel und Schirmmütze auf den Stuhl neben das Stilleben von Unterhose und Socken und zog das Telefon in Griffnähe.

Josef Behrens war ein gewissenhafter Beamter, der nicht mit der Uniform seine Würde ablegte, sondern auch im Nachthemd noch Wachtmeister und Polizeigewaltiger von Marktstett blieb. Sein Leben verlief im großen und ganzen ruhig. Abgesehen von einigen Holz- und Felddiebstählen, einer Brandstiftung und einer versuchten Vergewaltigung, hatte es in seinem Bezirk schon wieder längere Zeit keine Gesetzesbrüche mehr gegeben, und so schwor er sich, auf diesem Posten alt und grau zu werden.

Hätte er gewußt, was noch in dieser Nacht in Marktstett geschehen sollte, wäre er nicht so friedlich ins Bett gestiegen, sondern hätte sich beeilt, den Ereignissen mit aller staatlichen und kommunalen Gewalt entgegenzutreten.

Auch der Bürgermeister von Marktstett, dessen Frau und der biedere Paul Sanke hätten ihre ausgedehnte Skatrunde abgebrochen und wären umgehend mit Heinz und Elisabeth Konradi telefonisch in Verbindung getreten.

So aber nahmen die Dinge ihren unheilvollen Verlauf, an dessen Ende nicht nur das große Lachen, sondern ... aber davon soll noch nicht die Rede sein.

Wichtig ist, daß die Nacht sternenlos war. Dicke Wolken hingen am Himmel. Dadurch erlebte Ebbenrath die schwärzeste Finsternis seit langer Zeit.

Eine solche Nacht ist bei jungen Menschen äußerst beliebt und von Müttern mit heiratsfähigen Töchtern gehaßt. Von älteren

Ehemännern wird sie zuweilen als Bundesgenossin glühend gesucht.

Wichtig ist auch, daß der Verkehrsverein von Ebbenrath 14 Tage vorher rund um die Stadt Bänke hatte aufstellen lassen, allein zur Erholung der Sommergäste, die man anscheinend für äußerst müde hielt. Doch man war in Ebbenrath sehr weitblickend, und so schaffte sich der Standesbeamte in den gleichen Tagen ein neues, doppelt so dickes Geburtsregister an. Das Statistische Amt richtete sich ebenfalls auf Mehrarbeit ein.

Und wichtig ist vor allem, daß Elisabeth Konradi mit ihrem Besuch bei Anny von Borcken das Dümmste tat, was sie machen konnte: Sie dehnte den Besuch aus und blieb fast eine Stunde fort.

Eine Stunde Schicksal . . .

Die Stimmung im Hause Heinz Konradis hatte den Kulminationspunkt überschritten. Zur Erklärung: Kulminationspunkt ist jene Grenze im Imaginären, hinter der entweder das sonst nie Erlaubte beginnt oder bei Männern das Stadium des Lallens und des Herumkriechens auf allen vieren einsetzt.

Dieser Punkt war erreicht, als Erich Kiel den »Zarewitsch« sang, Heinz Konradi die Beine auf den Tisch legte und Herbert Sanke versuchte, Brigitte Borgfeldt zu küssen.

Aha, durchzuckte es Konradi, jetzt springt der Funken über. Jetzt beginnt die Gründung der Lehrmittel-Vertriebsgesellschaft Konradi & Sanke.

Siegessicher leerte er wieder einmal sein Glas und schnalzte zufrieden mit der Zunge.

Aber Brigitte Borgfeldt wich den Zärtlichkeiten Herbert Sankes mit einer fast kindlichen Gebärde aus und rückte ein wenig von ihm ab.

»Es ist schon spät«, sagte sie und blickte auf ihre Armbanduhr.

»Wenn Sie noch mit dem Rad nach Marktstett wollen, wird's Zeit.«

»Sie haben recht, Brigitte.« Herbert Sanke erhob sich, tat das allerdings nicht gerne. »Ich will meinen Vater auch nicht aus dem Schlaf trommeln.«

»Wo nur Eli bleibt?« Brigitte stand gleichfalls auf, zupfte die Kissen der Couch zurecht und gähnte verstohlen. Am längsten zögerte Erich Kiel, sich zu erheben. »Elisabeth wollte doch gleich wiederkommen«, sagte er.

»Vielleicht hat Anny sie aufgehalten und quetscht sie nach Herrn Sanke aus«, lachte Heinz Konradi, schenkte jedem – auch sich – noch einmal ein und setzte hinzu: »Ex!«

»Mir hat's gefallen«, sagte er dann. »Ich hoffe euch auch.«

»Mir ganz bestimmt!« rief Herbert Sanke. »Es war wahnsinnig gemütlich bei Ihnen. Hoffentlich bin ich Ihnen nicht zur Last gefallen.«

Er reichte Konradi die Hand, und dieser antwortete: »Zur Last? Aber ich bitte Sie, wir haben uns gefreut, Sie zu Gast zu haben.« Dabei dachte er an Elisabeth und mußte sauer lächeln. Er ahnte, was nachher kommen würde. Zwei Jahre Ehe mit Elisabeth waren zwei Jahren Ringkampf gleichzusetzen. Er fuhr fort: »Es wäre uns ein Vergnügen, wenn Sie in Kürze wieder kämen. Auf jeden Fall bleibe ich in schriftlicher Verbindung mit Ihnen. Ihr Beruf interessiert auch mich. Aber davon wollen wir heute nicht mehr sprechen. Nichts Geschäftliches. Der Abend gehörte, wie gesagt, dem Vergnügen.«

Man glaube nicht, Heinz Konradi wäre nur ein weltfremder Gelehrter gewesen. Im Gegenteil: Wie er diesen Abend mit Diplomatie und Geschick ausklingen ließ, war ein Meisterstück. Aber auch er ahnte ja nicht, was aus diesem Meisterstück noch werden sollte, welche Tragikomödie sich in diesem Augenblick zu entwickeln begann.

Sie traten hinaus in die stockfinstere Nacht. In der Ferne, über den Bergen, wetterleuchtete es. Es roch nach Regen. Schwer legte sich einem die Finsternis auf die Brust.

»Begleiten Sie mich ein Stück?« fragte Herbert Sanke Brigitte Borgfeldt.

Diese schaute unsicher ihren Schwager an.

Konradi zog die Stirn in Falten. »Bei dieser Dunkelheit? Und dann auf der Chaussee? Es wird in kurzer Zeit ein Gewitter geben. Und überhaupt ist Brigitte nicht besonders ortskundig und könnte sich in der Finsternis verlaufen.«

»Ich dachte, nur bis zur Brücke«, meinte Herbert Sanke. »Von dort ist der Weg zurück nicht weit. Ich würde es mir niemals erlauben, Ihre Schwägerin weiter mitzunehmen und sie dann allein den Weg zurückgehen zu lassen.«

Heinz Konradi war beruhigt. Er gab seine Zustimmung – im stillen wunderte er sich, daß man ihn überhaupt fragte. Er hatte das früher in solchen Fällen nie getan, sondern nur vollendete Tatsachen geschaffen. Vielleicht gab Erich Kiel, der leicht in der Dunkelheit herumschwankte, den Ausschlag, indem er erklärte, daß auf dieser Strecke keinerlei Gefahr bestünde.

Der Abschied zwischen Heinz Konradi und Herbert Sanke war herzlich. Man drückte einander fest die Hand und versprach sich gegenseitig ein baldiges Wiedersehen. Dann tauchten Brigitte und Herr Sanke mit seinem Rad in der Dunkelheit unter.

»Komm aber bald zurück, Gitti!« rief Konradi in einer Aufwallung letzten Pflichtgefühls seiner Schwägerin noch nach. »Laß dich vom Gewitter nicht überraschen!«

»Nein, nein«, versprach Brigitte lachend aus der Dunkelheit. »Dazu hätte ich viel zuviel Angst vor dem kleinsten Blitz, das weißt du doch.«

Knirschend verklangen die Schritte in der Nacht. Nichts regte sich mehr. Nur ein Husten Erich Kiels in der entgegengesetzten

Richtung wurde noch einmal laut.

Noch immer stand Heinz Konradi in der Tür und starrte hinein in die Dunkelheit. Die Stille umfing den ins Grübeln geratenen Mann, der dicke Bücher über todernste Themen schrieb und selbst aller Gelehrtenabgeklärtheit so fern war.

Und so stand er noch immer sinnend in der Tür, verspürte plötzlich leise Gewissensbisse und fragte sich, ob er sich Vorwürfe zu machen habe. Ein Geräusch schreckte ihn auf. Elisabeth kam eiligen Schrittes von Anny von Borcken zurück.

»Wo ist Brigitte?« rief sie, als sie Heinz in der Tür stehen sah.

»Zur Brücke. Sie begleitet den Sanke ein Stück und kommt gleich wieder.« Er drehte sich um und ging langsam in die Wohnung. »Laß dem Mädchen das bißchen Lebensfreude. Sie hat ihr Herz fest in der Hand, das weiß ich seit heute abend . . .«

3

Schwach schimmerten die Stahlteile der breiten Brücke im Schein einer der trüben Hängelampen, mit denen in Ebbenrath die wichtigsten Straßenkreuzungen und Übergänge beleuchtet wurden. Der kleine Fluß rauschte in der stillen Nacht, in der Ferne donnerte es, und das Wetterleuchten schob sich über die schwarzen Berge näher und umzuckte die hohen Wipfel der starren Fichten auf den Höhen.

»Es wird bald regnen«, meinte Herbert Sanke und lehnte sein Rad an das Brückengeländer. »Wenn ich noch trocken nach Marktstett kommen will, muß ich mich beeilen.«

Aber das schien nur so hingesagt zu sein, denn er traf keinerlei Anstalten, von Brigitte Borgfeldt Abschied zu nehmen.

»Eigentlich ist der Tag zu kurz«, fuhr er nachdenklich fort. »Für das, was man sich in bestimmten Situationen zu sagen hat, sind Stunden nur Sekunden, die einem unter den Händen wegrinnen. Oder ist es Ihnen noch nie so ergangen, daß Sie die Zeit mit beiden Händen festhalten wollten und doch am Ende einsehen mußten, daß unser Leben eben nichts ist als ein Wettlauf mit der Uhr? Mir jedenfalls kommt es so vor, als wären wir alle nur Eilende und Hetzende, um ein kleines, ein winziges Stückchen Glück zu erhaschen.«

Brigitte Borgfeldt schwieg. Sie lauschte auf den tiefen Klang der Stimme und wußte nicht, ob sie dem inneren Gefühl nachgeben und einen brüsken Abschied einer langen, vielleicht unnützen Aussprache vorziehen sollte. Irgend etwas an dieser tiefen Stimme und der großen Gestalt des Mannes übte aber eine Macht über ihren Willen aus, die sie davon abhielt, den jetzt an ihrer Seite vom Sinn des Lebens philosophierenden Menschen aus seiner Träumerei zu reißen.

»Unser Dasein entwickelt sich nach bestimmten Rhythmen«, antwortete sie langsam. Es kam ihr vor, als spräche eine andere Stimme aus ihr, der sie selbst wie einer fremden lauschte.

»Rhythmus? Haben wir modernen Menschen überhaupt einen Rhythmus?« fragte Herbert Sanke. »Natürlich . . . alles ist Rhythmus an sich . . . Foxtrott, Jazz, die Maschinen, die Technik, die neue Sprache in der Literatur, sogar in der Malerei gibt es eine rhythmische Farbengebung . . . aber ist das der Rhythmus, der von der Seele ausgeht? Ich mache mir oft Gedanken, unnütze Gedanken, das weiß ich, denn ändern kann ich es doch nicht. Aber manchmal, da denke ich mir, unser Leben müßte wieder das Ideal entdecken, das Ideal der ›schönen Seele‹, von dem Friedrich Schiller träumte und dem Hölderlin ein Denkmal setzte, das von den modernen Menschen nicht mehr verstanden wird. Dieses Ideal möchte ich in mein Leben setzen, und ich suche einen Menschen, der mir auf meinem Weg . . . einem Weg vielleicht ins Nichts folgen kann.«

Brigitte Borgfeldt sah zu Boden. Was dieser massige Mann da sagte, war eine Philosophie, die ihr einleuchtete, nur verneinte sie nicht das Leben, sondern fand einen Trost in der tiefen Religiosität des »guten« Lebens.

»Man sollte weniger denken«, meinte sie, als sie nach einer kleinen Weile wieder aufblickte. »Die schönsten Stunden verdirbt man sich mit dem Verstand. Lassen Sie uns von den Freuden des Lebens sprechen . . . von der Kunst, vom Reisen in schöne Länder, von mir aus auch von Dingen, die banal sind und flach, denn alles ist besser als diese Traurigkeit nach einem so schönen Abend und einer so schönen Nacht.«

»Ich liebe Sie«, sagte Herbert Sanke leise. »Wollen Sie das wissen?«

Brigitte war bei dem Satz zurückgeschreckt und sah den Mann mit einer Mischung aus Angst und Trauer an. Er liebt mich, rief es in ihr, und ich kann ihn doch nicht wiederlieben! Wie soll das denn werden . . . einen fremden Mann lieben, den ich kaum kenne?

»Sie sollten nicht so leicht darüber sprechen«, antwortete sie etwas tadelnd. »Liebe ist ein großes Wort. Wie können Sie mich lieben, da Sie doch noch gar nichts von mir wissen?«

»Ich weiß nichts von Ihnen? Das ist ein Irrtum. Ich sehe Ihre Augen, Ihre Lippen, ich höre Ihre Sprache, ich fühle Ihre Seele. Und ich sollte da noch fragen? Sie waren seit jenem Sommertag am See eine keinen Augenblick aussetzende Sehnsucht für mich. Ich vergaß Ihr Bild nie. Und nun stehen Sie vor mir – ich glaube, ich sagte es Ihnen schon einmal beim Spaziergang heute – nicht wie eine erfüllte Sehnsucht, sondern wie ein greifbarer Wunsch.«

Das Donnern kam näher. Die Blitze zuckten über die Berge hinweg ins Tal, es roch nach Regen. Vom Wasser herauf zogen Dunstschleier durch die Nacht.

»Es wird gleich regnen«, sagte Brigitte. »Sie kommen nun nicht mehr nach Marktstett. Gehen wir zur Stadt zurück, hier werden wir naß.«

Sie schritten nahe nebeneinander der Stadt zu. Herbert Sanke hielt den Kopf gesenkt und blickte beim Gehen auf den schwach blinkenden Asphalt.

»Ich würde mir das Leben an Ihrer Seite schön vorstellen«, sagte er leise. »Ich würde glücklich sein.«

»Aber ich . . .«

»Könnten Sie mich denn nicht lieben?«

»Ich – weiß nicht. Sie sind ein Mann, der so fernab von meiner Einstellung Männern gegenüber ist. Sie sind mir unheimlich.«

Herbert Sanke blieb mit einem Ruck stehen. Seine Augen blickten maßlos erstaunt und betroffen zugleich.

»Ich bin Ihnen unheimlich?« fragte er mit tonloser Stimme.

»Ja.«

»Und deshalb entfernen Sie sich von mir?«

»Ich bin Ihnen noch nicht nahe gekommen.«

»Unheimlich ist das Leben. Es hat mich zu dem gemacht, der Sie erschreckt. Sie haben eine große Aufgabe, mich auf den Pfad Ihres sonnigen Lebens zurückzuholen.«

Brigitte Borgfeldt schüttelte den Kopf. Sie schlug dabei den Kragen ihres Mantels hoch und zog den Stoff enger um ihren Körper, als friere sie.

»Es regnet«, sagte sie. »Wir müssen uns beeilen.«

»Und das ist Ihre ganze Antwort?«

»Ich wüßte im Augenblick keine andere.«

Herbert Sanke sah empor zum schwarzen Himmel.

»Welch ein Glück, daß es noch viele Augenblicke gibt, die vor uns liegen!«

Die ersten Tropfen fielen dick und schwer auf das Pflaster. Der Donner rollte über die Berge und brach sich in den Waldschluchten. Das Zucken der Blitze erhellte sekundenschnell die winkeligen Seitenstraßen.

Ein Geruch wie von ausdünstendem feuchten Eisen hing in der Luft.

Herbert Sanke und Brigitte beeilten sich, in eine tiefe Haustür zu huschen, um vor dem Gewitter Schutz zu finden.

Heinz Konradi wachte mit einem erschreckten Ruck auf.

Seine Frau saß im Bett, hatte das Licht angeknipst, zog ihn an der Pyjamajacke und weinte dabei.

Draußen donnerte und blitzte es. Rauschend, als seien Schleusen geöffnet worden, fiel der Regen vom nachtdunklen Himmel. Eintönig trommelte er an die hölzernen Fensterläden.

Mit einem Satz fuhr Heinz Konradi aus den Kissen hoch. Er brauchte keine Erklärungen seiner Frau, um zu wissen, warum sie weinte.

»Wo ist Gitti?« stieß er hervor und schämte sich gleichzeitig seiner dummen Frage.

»Gitti? Fort! Verschwunden!« Elisabeth schluchzte laut auf. »Und du bist schuld daran!«

»Erlaube mal, wieso? Schließlich ist deine Schwester alt genug, um zu wissen, was sie tut.« Er blickte sich um. »Wie spät ist es eigentlich?«

»Halb eins. Und dann dieses Gewitter. Wo mag das Mädchen nur sein? Der Kerl bringt es fertig und schleppt sie mit sich nach Marktstett. Wie soll sie zurückkommen? Wahnsinn! Das arme Mädchen!«

Heinz Konradi fuhr sich mit der Hand durch die Haare.

»Ja, glaubst du denn wirklich, Brigitte ist bei diesem Wetter noch unterwegs? Ich nicht. Die beiden sitzen gemütlich in einem Lokal, davon bin ich überzeugt.«

»Um halb eins ist in Ebbenrath kein Lokal mehr auf.«

»Dann stehen sie unter einem Baum und warten.«

»Oder sie liegt verletzt, mit gebrochenen Knochen, irgendwo im Graben der Chaussee. In dieser Dunkelheit kann einem doch alles zustoßen.« Elisabeth Konradi sprang mit einem Satz aus dem Bett. »Heinz, du mußt sofort aufstehen!«

»Aufstehen? Wieso?«

»Wir müssen Gitti suchen.«

»Ich glaube, Eli, dir ist nicht wohl. Gitti suchen . . . Wo? frage ich dich.«

»Wo? Auf der Strecke nach Marktstett. Sie können nur die Chaussee gegangen sein.«

»Es gibt auch einen kürzeren Weg über die Berge durch den Wald«, wandte Konradi ein, kletterte aber trotzdem aus dem Bett und schlüpfte unlustig und brummend in seine Kleidung.

Elisabeth sagte: »Sanke hat ein Rad bei sich. Damit ist er an die Chaussee gebunden. Überhaupt, wer ist dieser Herbert Sanke? Du kennst ihn nicht, ich kenne ihn nicht, Gitti kennt ihn nicht, Kiel kennt ihn nicht, niemand kennt ihn in Ebbenrath. Weißt du, was er sein kann? Ein Verbrecher! Vielleicht dient ihm seine Lehrmittelvertretung nur als Tarnung. Er sieht so brutal aus. Wenn er nun ein Mädchenhändler ist oder ein Sittenstrolch, der unsere arme Gitti . . .« Sie schluchzte laut auf und konnte nicht weitersprechen. Der Gedanke, ihre Schwester in den Händen eines Verbrechers zu wissen, machte sie unfähig, sich überhaupt noch normal zu benehmen. Händeringend rannte sie halbnackt im Zimmer hin und her und stolperte über die Beine ihres Mannes, der sich anzog.

»Ich bin verantwortlich für sie!« rief sie. »Ich bin ihre Schwester! Was soll ich Vater und Mutter sagen, wenn ihr etwas zugestoßen ist? Der Kerl kann sie ja schon umgebracht und im Wald verscharrt haben. Bei dieser Dunkelheit und diesem Regen sieht ihn keiner, und morgen ist er längst über alle Berge.«

»Verscharren kann er sie nicht«, sagte Heinz mit dem Gemüt eines elefantenhäutigen Mannes. »Er hat keinen Spaten bei sich.«

»Aber er kann sie tief in den Wald irgendwo ins Dickicht schleppen, wo sie nicht gesucht und dadurch auch nicht gefunden wird.«

»Das sage nicht«, meinte Heinz und band seine Schnürsenkel zu. »Die Wälder sind hier nicht groß. Waldarbeiter und Holzfäller kommen in ihnen an jede Stelle.«

»Deine Nerven möchte ich haben!« schrie Elisabeth außer sich. Den ruhigen Ton ihres Gatten empfand sie wie eine körperliche Pein. »Du mußt Brigitte suchen!«

»Ich bin ja schon angezogen. Aber wo? frage ich dich noch einmal.«

»Überall! Guck nicht so dumm! Ich weiß, was dir vorschwebt. Bedeutet dir deine Schwägerin so wenig? Erst verkuppelst du sie, und dann willst du vor den Gartenzaun gehen, wieder kehrtmachen und mir sagen, es hat keinen Zweck. Das schlag dir aus dem Kopf. Du kriegst keine Ruhe mehr von mir. Wie weit ist es nach Marktstett?«

»Zu Fuß gute zweieinhalb Stunden. Und das bei Nacht, bei diesem Wetter! Eli, das ist doch Wahnsinn! Wenn ihr wirklich etwas zugestoßen ist und sie irgendwo liegt, kann ich sie nicht sehen. Oder zweifelst du daran? Im übrigen glaube ich das nicht. Am besten warten wir bis morgen früh.«

»Nein, du suchst sie jetzt!« schrie Elisabeth, »wer weiß, was bis morgen früh geschieht!«

Heinz schüttelte den Kopf, ihm kam die ganze Aufregung sinnlos und äußerst dumm vor. »Wer sagt dir denn, daß überhaupt etwas geschehen ist? Vielleicht sitzen die beiden irgendwo im Trockenen und freuen sich, daß sie so jung und unbekümmert sind.«

»Nein, nein, nein!« Elisabeth Konradi rang die Hände. »Es ist etwas passiert, etwas Schlimmes, ich spüre es.«

Wenn eine Frau etwas spürt oder fühlt, kann die Logik des Mannes in Urlaub gehen. Die Logik wird nie imstande sein, gegen das Gefühl einer Frau anzukommen, denn wenn eine Frau erst einmal ihr Gefühl ins Feld führt, beginnt die Unlogik Purzelbäume zu schlagen. Eine fühlende Frau ist taub gegenüber allen logischen Einwänden.

Das sah auch Heinz Konradi ein. Er war lange genug verheiratet, um zu wissen, wann er zu kapitulieren hatte. Er widersetzte sich deshalb nun nicht mehr länger, sondern nickte ergeben, seufzte dabei und fügte sich in sein Schicksal, Brigitte Borgfeldt in stockfinsterer Nacht zu suchen.

Die Götter sind bei den Leidenden, sagt ein griechisches Sprichwort. Und dieses Sprichwort bewahrheitete sich auch heute wieder, denn als Heinz Konradi einen alten Schlapphut aufsetzte und sich nur noch eine Zigarette anzündete, um ein paar Züge aus ihr zu nehmen, ließ das Gewitter nach und lief aus in einem harmlosen Tröpfelregen.

Elisabeth saß nun weinend auf der Bettkante und kam vor lauter Schluchzen nicht dazu, ihre Garderobe entweder zu ergänzen oder sich wieder ganz auszuziehen. Ihr halb bekleideter, üppiger fraulicher Körper stand in krassem Gegensatz zu ihrer weinerlichen Hilflosigkeit, und dieses Bild verleitete Heinz dazu, seinen Ärger einem liebevollen Mitgefühl weichen zu lassen.

»Vielleicht ist deine Schwester längst in guten Händen und deine ganze Sorge unbegründet«, meinte er optimistisch und legte zärtlich seinen Arm um Elisabeths mollige Schultern. »Vielleicht ist sie sogar gerade dabei, ihre Unschuld zu verlieren, wer weiß . . .«

»Gitti? Mit diesem Kerl?« Elisabeth lehnte ihr tränennasses Gesicht an seine Brust. »Nie . . . nie . . . meine Schwester tut das nicht!«

»Man kann einem Menschen nicht ins Herz sehen, Eli. Auch du kennst deine Schwester nicht.«

»Brigitte weiß, daß wir auf sie warten. Sie weiß, daß ich mir Sorgen um sie mache. Ich kenne Gitti nicht anders als einen gewissenhaften, pünktlichen und ehrlichen Menschen. Sie würde nie so lange wegbleiben, ohne es vorher anzukündigen. Das sind wir von unserer Gitti nicht gewöhnt . . . nein, nein, da ist etwas passiert . . . ihr ist etwas zugestoßen . . . eine andere Möglichkeit kann ich leider nicht mehr sehen.«

»Im allgemeinen sagt man vorher nicht Bescheid, wenn man sich verliebt«, meinte Heinz Konradi. »Nicht umsonst singt man: Wie ein Wunder kam die Liebe über Nacht . . .«

Elisabeth fuhr hoch. Ihre Augen funkelten, der schöne Mund verzerrte sich.

»Daß du in dieser Situation so daherreden kannst, ist scheußlich . . . roh . . . herzlos von dir!« rief sie. »Du hast kein Gefühl, du bist ein Barbar! Aber natürlich, es ist ja auch nur meine Schwester, um die es geht. Vielleicht willst du damit sogar nur meine Eltern treffen.« Und plötzlich schrie sie auf: »Du, du, wenn du mir nicht Gitti wiederfindest, tue ich mir etwas an!«

Heinz Konradi zuckte zusammen. Plötzlich war ihm klar, daß er zu weit gegangen war, daß hier nicht ein Stück auf der Bühne gespielt wurde, sondern rauhe Wirklichkeit ablief, bei der seine ganze Ehe in Gefahr war. Erst jetzt wollte er nicht mehr länger leugnen, daß seine Frau tatsächlich dem seelischen Zusammenbruch nahe war und nur noch als flatterndes Nervenbündel schluchzend hin und her rannte.

»Gut«, sagte er fest, und der Ton seiner Stimme ließ Elisabeth erstaunt aufblicken. »Ich gehe und suche sie und hoffe sie zu finden.«

»Du *mußt* sie finden!«

»Aber wenn ich Pech habe? Was dann? Damit müssen wir rechnen.«

»Dann weiß ich keinen Rat mehr. Dann werde ich verrückt.«

»Es bleibt noch die Polizei. Aber Vermißtenanzeigen können frühestens in zwölf Stunden nach dem Verschwinden einer Person aufgegeben werden.«

»In zwölf Stunden bin ich wahnsinnig. Und was dann geschieht, habe ich dir gesagt, Heinz. Du *mußt* sie finden!«

Konradi nickte. Er nahm seinen Spazierstock aus dem Ständer und schloß die Tür auf.

»Bis nach Marktstett hoffe ich nicht gehen zu müssen«, erklärte er. »Sanke sagte etwas von der Brücke. Vielleicht haben sie sich untergestellt und verabschieden sich jetzt stundenlang voneinander. Das ist eine Spezialität verliebter junger Leute.«

Damit trat er hinaus in die Nacht.

Ein wenig skeptisch, von Natur aus unlustig, mit zweifelnden Gedanken . . .

Er kam sich reichlich dumm und nachgiebig vor.

Die Luft war durch den Regen wundervoll abgekühlt. Erde, Laub und Blumen strömten ihren Duft aus. Von den Zweigen tropfte es mit leisem Klicken. Fern über den Bergen wetterleuchtete es noch. Das Gewitter war schon weit weg.

Es war nicht mehr ganz so dunkel. Vereinzelt lugten die Sterne durch die Wolkenschleier und leuchteten trübe wie kleingedrehte Petroleumlampen. Der Mond war freilich noch hinter einer dichten Wolkendecke verborgen. Die Ausläufer seines bleichen Lichtes färbten die Ränder wundersam geformter Wolkenballen.

Heinz Konradi stand auf der Straße, stützte sich auf seinen Stock und überlegte.

Die Suche nach einem jungen Mädchen und einem jungen Mann ist eigentlich ein Blödsinn, dachte er. Aber was tut man nicht alles, um seine Frau zu beruhigen. Es ist zwar richtig, daß es Wüstlinge, Heiratsschwindler, Mädchenhändler, Sittlichkeitsverbrecher und dergleichen Gesindel in Massen gibt, aber dazu gehört dieser Herbert Sanke nicht. Nein, bestimmt nicht. Einen solchen Eindruck machte er nicht, auch seine Unterhaltung, sein Benehmen und seine Schrift, die ich auf den Werbeprospekten gesehen habe, waren ungekünstelt und von einer freien Natürlichkeit. Schließlich habe ich nicht Psychologie als Nebenfach studiert, um mich so zu täuschen, dachte Heinz Konradi weiter.

Dieser Herbert Sanke war harmlos und von einer eindeutigen Ehrlichkeit, die Heinz Konradi mit Anerkennung betrachtete.

Doch das fiel im Moment nicht ins Gewicht. Das spielte alles keine Rolle, es hatte nichts zu sagen. Brigitte Borgfeldt war seit zweieinhalb Stunden verschwunden, das war entscheidend.

Verschwunden auf dem Weg zur Brücke.

Verschwunden trotz der eindeutigen Beteuerung, nur kurze Zeit wegzubleiben.

Laß mich zunächst einmal den Weg bis zur Brücke abgehen, dachte Heinz. In der Nähe der Brücke gibt es zwei Restaurants und zwei Hotels, da kann ich – falls sie noch nicht geschlossen haben – einmal diskret nachfragen, denn in solchen Situationen muß man mit allem rechnen, wenn es mir auch denkbar unangenehm ist, in die möglichen Geheimnisse eines jungen Herzens einzudringen.

Langsam schlenderte Heinz Konradi durch die Straßen, trottete ein Stück die Promenade Ebbenraths entlang und fand trotz der Nässe die neuen Bänke des Verkehrsvereins prompt besetzt vor, aber leider nicht besetzt von Gitti und Herbert Sanke. Der Anblick dieser ganz in ihre Liebe verstrickten Pärchen, die auch das Gewitter und den Regen irgendwo überstanden haben mußten, gab ihm jedoch den Mut, auch an das gleiche günstige Schicksal Brigittes zu glauben.

Denn wozu die anderen imstande gewesen waren, das dürfte doch auch Herr Sanke fertiggebracht haben.

Womit Heinz Konradi begann, seine Suche nach Brigitte Borgfeldt doch auf der Logik des Mannes und nicht auf dem Gefühl der Frau aufzubauen.

Aber es war das erstemal, daß Konradi von seiner Logik enttäuscht wurde, denn nach kurzer Zeit stand er vor der Brücke und mußte sich eingestehen, auf den Bänken und in den so beliebten Haustüren oder Toreinfahrten seine Schwägerin nicht entdeckt zu haben.

Verstimmt lehnte er sich an das Geländer und blickte mißmutig um sich.

Was nun, dachte er. In die Hotels gehen und fragen? Es fiel ihm ein, daß das einer ziemlichen Kompromittierung Brigitte Borgfeldts gleichgekommen wäre.

Und wenn er ihren Namen nicht nannte?

Blödsinn! Er selbst war ja hier jedem bekannt. Damit wäre also auch nichts zu gewinnen gewesen.

Der Gedanke, in den Hotels nachzufragen, wurde also verworfen.

Nach Marktstett zu gehen kam nach wie vor auch nicht in Frage.

Aber vielleicht standen die beiden jenseits der Brücke und kamen nicht voneinander los. Das war immerhin möglich, und der Weg über die Brücke war nicht weit.

Letzteres gab den Ausschlag.

Heinz Konradi schlenderte über die Brücke, blickte hinunter auf das rauschende Flüßchen und ging dann weiter. Er pfiff leise vor sich und schlug mit dem Stock ab und zu gegen das Geländer.

Schließlich war man selbst auch einmal jung und war dankbar gewesen, wenn das Kommen eines Dritten schon von weitem angekündigt wurde. Ein Mann mit Praxis hat in solchen Dingen ein weites Herz.

Aber Konradis Zartgefühl war Verschwendung. Auch jenseits der Brücke standen keine Brigitte Borgfeldt und kein Herbert Sanke. Lediglich die Chaussee nach Marktstett schwang sich in weitem Bogen den Berg hinauf.

Umkehren war unmöglich. Elisabeth würde niemals verstehen, daß er die Suche nach seiner verschwundenen Schwägerin so schnell beendet haben würde. Hinzu kam, daß sich in Heinz jetzt selbst Bedenken regten und ihn das Verschwinden Brigittes mit Sorge erfüllte. Immerhin war es nicht zu leugnen, daß der einzige in Betracht kommende Weg leer war und es – hier gab Heinz seiner Frau recht – nicht Brigittes Art war, von einem festen Vorsatz abzuweichen.

Man muß die Liebe mit einkalkulieren, sagte sich Konradi. Große Ereignisse werden von ungewöhnlichen Umstellungen begleitet. Und doch, ein wenig merkwürdig war die ganze Situation schon. Sie gab ohne weiteres Anlaß, daß man in Sorge geriet.

Wo konnte Brigitte Borgfeldt sein?

In einem Hotel? Vielleicht. Aber Elisabeth behauptete ja: »Meine Schwester tut das nicht!« Wenn man das zu glauben bereit war, dann kam aber ein Absuchen der Hotels erst als allerletztes in Frage.

Vielleicht ist sie ein Stück der Chaussee nach Marktstett mitgegangen. Ganz bis Marktstett war ausgeschlossen. Aber ein Stück, das konnte sein.

Konradi rechnete sich aus, daß Brigitte dann spätestens um halb zwei wieder in Ebbenrath eintreffen mußte, vorausgesetzt, der Abschied nahm einen normalen Verlauf. Welcher Abschied verliebter Leute aber verläuft normal? Wenn es auch dunkel war, so schimmerte doch schwach das Band der Straße. Verirren konnte sich Gitti also nicht, auch nicht dort, wo der Wald bis an die Chaussee heranreichte. Und wenn sie von einem Auto angefahren und verletzt an der Straße liegen gelassen worden war? Von Fahrerflucht konnte man doch jeden Tag in der Zeitung lesen. Dachte man ganz kriminell, so war es auch möglich, daß ein Pkw-Fahrer Brigitte mitgenommen und in wollüstiger Absicht verschleppt hatte. Auch so was kam leider oft genug vor.

War dies der Fall, so gab es nur eines: Polizei.

Die dritte Möglichkeit war die verrückteste: Brigitte Borgfeldt konnte den Weg von der Brücke zurück durch die Stadt gewählt haben und lag jetzt längst vergnügt im Bett, während er, Heinz, hier an der Brücke versauerte. Das wäre dann der Gipfel der Komik und er, der Schriftsteller und Privatgelehrte Heinz Konradi, wäre der Gelackmeierte.

Die ganze Lächerlichkeit dieser Möglichkeit wurde ihm bewußt. Es fehlte aber die Gewißheit. Unschlüssig blickte er ins Wasser. Um nicht zu frieren, knöpfte er seinen Rock zu.

»Verrückt«, sagte er leise vor sich hin. »Wenn ich wüßte, daß Brigitte schon im Bett liegt, würde ich zu Erich gehen, ihn wecken und noch einmal ein paar mit ihm zwitschern. Der wäre bestimmt damit einverstanden.«

Anstandshalber blieb er aber noch ein wenig jenseits der Brücke stehen und rauchte eine Zigarette.

Elisabeth sollte zufrieden sein. Um einen Menschen zu suchen, braucht man Zeit . . .

Unterdessen lag Erich Kiel in seinem breiten Bett und träumte sinnigerweise von Anny von Borcken.

Was er träumte, war durchaus dazu angetan, ihn im Schlaf lächeln und schnalzen zu lassen, denn Anny von Borcken saß auf seinem Schoß und gab ihm tausend liebe Küßchen. Er zählte diese sogar und sagte im Augenblick: »Sechshundertfünfundvierzig

Stück. Schneller, damit die ersten Tausend voll werden!«

Was Erich Kiel zu dieser kühnen Phantasie anregte und ihm den frevlerischen Traum vorgaukelte, war rätselhaft. Der Traum war durch nichts begründet, denn Anny von Borcken hatte bisher mit Fleiß vermieden, mit Erich Kiel in näheren Kontakt zu kommen. Seine wasserfallartigen Lobreden auf seine eigenen überragenden Fähigkeiten auf allen Gebieten ärgerten sie nur und machten Erich Kiel in ihren Augen zu einem gefallsüchtigen Schwätzer.

Es mochte sein, daß der Schnapsreisende zu jenen Männern gehörte, die von der Abweisung einer Frau maßlos aufgeregt und zugleich angeregt werden, so daß sie um so aktiver werden, je mehr sie den Widerstand der Angebeteten spüren. Es sind dies die verhinderten Despoten oder die Märtyrer am falschen Platz; auf jeden Fall sind sie Leidende ihrer Gefühle und kommen sich vor wie Odysseus, der mit wachsverklebten Ohren an den süßen, nackten, singenden Sirenen vorübersegeln mußte.

Erich Kiel träumte. Er lächelte im Traum und fühlte sich so wohl, wie es ihm im Wachzustand wohl nie geglückt wäre.

Er ahnte nicht, daß eine Stunde später eine Welle von Ereignissen auch ihn aus seinem Bett spülen und ihn vor Fragen stellen sollte, zu deren Beantwortung selbst seine kühnsten Träume nicht ausreichten.

Im Augenblick aber schlief er und küßte Anny von Borcken.

Im Traum natürlich.

Es war der 786. Kuß.

Er schmeckte so lecker . . . im Traum.

Elisabeth Konradi hatte sich nach dem Weggang ihres Mannes bald angekleidet. Nun stand sie im Zimmer, rauchte eine Zigarette und ärgerte sich, daß sie im entscheidenden Augenblick so hilflos gewesen war und so kläglich versagt hatte.

Aber was soll man auch machen, wenn ein Mensch verschwindet?

Wer weiß denn in solchen Situationen den richtigen Rat?

Anny von Borcken fiel ihr ein. Vielleicht fand die sich mit ihrem überaus realen Geist in einer so verzwickten Situation besser zurecht.

Schnell zog Elisabeth noch eine leichte Kostümjacke über ihr Kleid an, rannte auf die Straße und stieß das kleine Vorgartentor des Häuschens ihrer Freundin auf. Es war gar nicht nötig, Anny von Borcken erst aus dem tiefsten Schlaf zu trommeln, denn das sonst so resolute Mädchen saß am Fenster des Schlafzimmers, hatte ihren Foxterrier Bebsy im Arm und starrte furchtsam hinauf in den dunklen Himmel.

»Nanu?« sagte sie ein wenig kläglich. »Was willst du denn noch bei mir, Eli?«

»Anny?« Elisabeth war baff. »Was machst du denn um halb zwei Uhr am offenen Fenster?«

»Ich habe Angst.« Anny von Borcken lehnte sich aus dem Fenster. Sie war glücklich, ihre Freundin zu sehen. Bebsy knurrte, war müde und wollte in ihre Schlafkiste.

»Angst?« Elisabeth Konradi glaubte, falsch gehört zu haben. »Du und Angst? Vor wem denn?«

Anny zeigte hinauf zu den Wolken.

»Davor. Vor dem Gewitter. Seit zwei Stunden bin ich hellwach. Als es anfing zu donnern, wollte ich erst zu euch kommen. Aber ihr habt ja Gitti bei euch.«

»Gitti ist verschwunden!« rief Elisabeth und begann prompt zu weinen.

Anny von Borcken entledigte sich Bebsys und beugte sich weit aus dem Fenster.

»Was sagst du? Gitti ist verschwunden? Wie denn das?«

»Sie ist um halb elf mit Herrn Sanke weggegangen, um ihn bis zur Brücke zu begleiten. In spätestens einer halben Stunde wollte sie wieder zurück sein. Und jetzt ist es halb zwei.«

»Na und? Ist das alles?«

»Ihr muß etwas zugestoßen sein.«

»Sicher. Aber das, was ihr zugestoßen ist, hat jedes junge Mädchen gern.«

»Anny!« Elisabeth war voller Entrüstung. »Du kennst Brigitte nicht! Meine Schwester tut das nicht!«

»Du siehst, daß sie dabei ist, dich vom Gegenteil zu überzeugen. Oder glaubst du wirklich, daß deine alten Weisheiten, über die heute schon Klosterschwestern lachen, noch gelten?«

»Allerdings! Das, woran du denkst, kommt bei Gitti gar nicht in Frage. Sie wirft sich nicht an einen Mann weg, den sie kaum einen Tag kennt.«

»Die Liebe fragt nicht nach Stunden oder Tagen, meine Beste.«

»Und überdies ist Gitti fast noch ein Kind. Ein unschuldiges Kind.«

»Mit vierundzwanzig Jahren?« Anny von Borcken blickte ihre Freundin fast mitleidig an.

»Ja. Dafür lege ich meine Hand ins Feuer.«

»Dann kauf dir jetzt schon eine Prothese.«

»Du bist schrecklich.« Elisabeth war sichtlich beleidigt. »Brigitte ist anders, ganz anders als wir. Sie lebt ihr Leben noch nach Idealen und Gesetzen der Reinheit und wird nur dann einem Mann gehören, wenn sie weiß, daß diese Hingabe ein ganzes Leben lang andauert. Deshalb meine Sorge. Um halb zwei noch nicht zurück. Da ist etwas geschehen. Dieser Kerl hat sie überfallen, und jetzt irrt sie umher und springt ins Wasser. Oder sonst was. Eine Entehrung überlebt Brigitte nicht.«

Elisabeth schluchzte wieder laut auf und lehnte sich, Halt suchend, an die Wand des Häuschens. Auch Anny konnte ihr nicht helfen, das fühlte sie. Für Anny war das Verschwinden nichts anderes als ein galantes Abenteuer . . . oh, sie kannte ja Brigitte nicht.

»Mein Gott, leg dich ins Bett, Spinnerin, und penn bis morgen«, sagte Anny. »Wenn sie dann noch nicht da ist, fängt es allerdings an, kritisch und bedenklich zu werden. Ich sage dir aber, die beiden sitzen irgendwo und haben gar keine Zeit, an die Uhr oder an dich zu denken.«

»Wenn sie auf einer Bank sitzt, muß Heinz sie ja finden. Er ist sie suchen gegangen.«

»Du liebe Zeit!«

»Was mache ich, wenn er sie nicht findet?«

»Dann stürzt die Welt auch noch lange nicht ein. Es gibt in Ebbenrath Winkel und Ecken, wo kein Schnüffler ein Liebespaar aufstöbert. Warte bis morgen, leg dich ins Bett, wiederhole ich, und mach uns nicht mit deiner sinnlosen Angst verrückt. Es wird sich alles in Wohlgefallen auflösen.«

Elisabeth Konradi wäre glücklich gewesen, wenn sie dies hätte glauben können. Und vielleicht hätte sie sich auch etwas beruhigt, wenn nicht gerade in diesem Augenblick Heinz Konradi die Straße herabgekommen wäre, langsam, bummelnd, gemächlich und – das war das Schlimmste – allein.

Elisabeth Konradi schrie leise auf: »Heinz! Heinz, was ist? Hast du sie gefunden?«

Konradi wirbelte auf dem Absatz herum und kam auf Elisabeth zugelaufen. Sein Gesicht zeigte einen Ausdruck der Angst, gemischt mit hilfloser Ungläubigkeit.

»Wie? Ist denn Gitti nicht bei dir? Ich hätte vermutet, sie liegt längst im Bett.«

»Du hast sie nicht gefunden?« antwortete Elisabeth entsetzt. Es war ihr, als müsse sie gleich die Besinnung verlieren und zu Boden sinken. Krampfhaft hielt sie sich an der Hauswand fest.

Heinz Konradi trat rasch näher. Tiefe Sorge umwölkte seine Stirn. Er sah, daß aus der anfänglichen Komödie eine Tragödie geworden war.

»Nein«, sagte er mit belegter Stimme. »Ich habe alles abgesucht. Die Bänke auf dem Weg zur Brücke, die Straße; ich war an der Brücke selbst, jenseits der Brücke, ich bin sogar ein Stück die Chaussee hinaufgegangen bis fast zur Jugendherberge; ich habe dort noch gewartet. Da sagte ich mir, Brigitte wird durch die Stadt zurückgegangen und schon zu Hause sein. Und ich kehrte um.«

Leise weinte Elisabeth vor sich hin. Konradi nahm sie in die Arme und drückte sie tröstend an sich. Auch ihn ergriff die plötzliche Erkenntnis, daß hier ein Unglück geschehen sein mußte.

»Gebt ihr nun zu, daß ich recht hatte?« schluchzte Elisabeth. »Der Kerl hat sie umgebracht oder mitgeschleift und den unbekannten, dunklen Weg allein zurückgehen lassen. In der Finsternis ist Gitti dann in eine Schlucht gestürzt, hat sich vielleicht ein Bein gebrochen, oder sie liegt da und verblutet langsam, seit Stunden schon. Das arme Kind kann sich nicht helfen und windet sich in Schmerzen. Heinz, wir müssen sie suchen!«

»Noch einmal? Wo denn, um Gottes willen?«

»Auf oder neben der Chaussee nach Marktstett. Sie kann nur diesen Weg gegangen sein.«

»Willst du denn bis Marktstett laufen? Zweieinhalb Stunden durch die Nacht?«

»Wenn ich Brigitte finden kann, laufe ich bis ans Ende der Welt. Ich gehe nicht eher ins Bett, als bis ich weiß, was mit ihr los ist.«

Auch Anny von Borcken sah den Fall nun anders. Daß ein Mädchen Sommernächte auf Bänken überlebt, war ihr nichts Neues. Daß aber ein Mädchen von der Korrektheit Brigittes einfach mitten in der Nacht verschwand, kam ihr nun doch bedenklich vor. Hier gab es keine Erklärung mehr, und wenn eine Frau für eine Sache keine Erklärung mehr findet, beginnt es kritisch zu werden.

Heinz Konradi trocknete seiner Frau mit einem Taschentuch die Tränen. Er wußte, daß es jetzt darauf ankam, zu zeigen, daß ein Mann vor solchen Situationen nicht kapitulierte.

»Mein Plan ist folgender«, sagte er aufmunternd, »wir gehen erst hier zur Polizei. Ich lasse aber auch beim Polizeiposten in Marktstett anrufen. Befindet sich Herbert Sanke ohne Brigitte im Hause seines Vaters, ist zu befürchten, daß ihr auf dem Rückweg etwas zugestoßen ist.«

Elisabeth Konradi schluchzte wieder laut auf.

»Befindet sich Herbert Sanke nicht bei seinem Vater in Marktstett«, fuhr Heinz fort, »ist klar, daß die beiden noch als ein komplettes Liebespaar in der Gegend herumschwirren. In diesem Falle muß Elisabeth morgen einen Kuchen backen. Es gibt also nur die beiden Möglichkeiten. Hat sich Herbert Sanke pünktlich von Gitti verabschiedet, muß er per Rad schon längst in Marktstett eingetroffen sein. Ist er das nicht, sind unsere Sorgen überflüssig. Nur eines verlange ich dann: daß Elisabeth vor uns allen schwört, nie mehr zu sagen, meine Schwester tut das nicht!«

»Alles, alles mache ich«, beteuerte Elisabeth Konradi und knöpfte ihre Jacke zu. »Alles – wenn nur erst Brigitte wieder da ist.«

Voller Hoffnung und banger Ahnungen gingen sie zur Polizei.

Die kleine, blaue Lampe über der Tür des Polizeireviers leuchtete matt in der dunstig werdenden Nacht. Das Revier befand sich in einem schmalen, hohen Haus mit einer Laube vor dem Eingang.

Vom Turm der nahen Pfarrkirche schlug es zwei Uhr.

Heinz und Elisabeth Konradi blickten sich an. Sie zögerten noch einmal ein wenig, den Stein nun bei einer Behörde ins Rollen zu bringen, denn war erst einmal die Polizei eingeschaltet, gab es kein Zurück mehr.

»Wir müssen es tun, Heinz«, sagte aber nach kurzem Elisabeth Konradi fest. »Wenn Brigitte etwas zugestoßen ist, müßte ich mir lebenslänglich Vorwürfe machen, nicht alles versucht zu haben, um ihr zu helfen.«

Heinz nickte. Er sah ein, daß diese kritische Situation schnelles Handeln erforderte.

Gemeinsam betraten sie das Polizeirevier. Sie kamen in einen kleinen Flur, von dem drei dunkle Türen abgingen. An einer derselben hing ein Schild mit der Aufschrift WACHE.

Heinz klopfte an, lauschte und drückte, als er nichts hörte, die Klinke herunter.

Die Tür war verschlossen. Nichts rührte sich.

»Nanu?« Konradi blickte sich nach Elisabeth um. »Schlafen die?«

Er lachte etwas unsicher über seinen Witz und klopfte noch einmal an. Stärker, lauter.

Nichts.

»Mann!« stieß Heinz hervor. »Das gibt's doch nicht! Die pennen wirklich! Wo sind wir denn?«

»In Ebbenrath«, sagte Elisabeth sarkastisch. »Weißt du das nicht?«

»Aber im Stadtrat erzählen, daß alles in Ordnung ist bei uns, das können sie«, schimpfte Heinz unter nachdrücklichem, mehrmaligem Kopfnicken.

»Versuch's noch einmal, Heinz«, forderte ihn Elisabeth auf.

Doch auch der dritte Versuch, mit normalem, zivilisiertem Anklopfen irgendeinen Erfolg zu erzielen, scheiterte.

»Das gibt's doch nicht!« wunderte sich Heinz Konradi kopfschüttelnd noch einmal.

Plötzlich packte ihn die Wut. Krachend trat er gegen die Tür und rappelte an der Klinke. »Verdammt noch mal!« brüllte er dabei. »Was ist denn hier los?«

Endlich rührte sich etwas hinter der Tür. Man hörte ein Feldbett ächzen, den tiefen Seufzer eines aus seligem Traum Erwachenden und darauf das unwillige, unheilverkündende Knurren und Schnaufen eines Menschen, der mit Mühe zu der Erkenntnis kam, daß ihm sein Schlaf geraubt wurde und er aufzustehen hatte. Schleifende Schritte näherten sich der Tür. Er geht auf Socken, dachte Heinz Konradi erbittert, auf grauen Socken mit zwei weißen Streifen, wöchentlich auf der Kammer zu wechseln.

Ein tiefes, erschöpftes Gähnen wurde laut, dann drehte sich ein Schlüssel im Schloß. Hat die Polizei Angst? fragte sich Heinz.

Einen schmalen Spalt nur öffnete sich die Tür, und zwei verschlafene Augen blinzelten die Ruhestörer an.

»Was gibt's?« brummte eine belegte Stimme.

»Guten Morgen«, sagte Heinz Konradi erst einmal sarkastisch.

Und auch Elisabeth Konradi schloß sich diesem Höflichkeitsakt an, indem sie sagte: »Das wünsche ich auch.«

»Was gibt's?« wiederholte der hochaktive Gesetzeshüter unbeeindruckt. Was Heinz und Elisabeth nicht wußten, war, daß er tags zuvor drei Radfahrer ohne Rücklicht und einen ohne Klingel aufgeschrieben hatte. Nachlässige Dienstauffassung hätte man ihm also zu Unrecht vorgeworfen.

Heinz Konradi räusperte sich und begann: »Es ist so, daß wir uns an Sie wenden müssen, weil –«

»Einen Moment«, unterbrach ihn der Polizist, dem eingefallen war, daß er praktisch barfuß war. »Ich muß mir noch meine Schuhe anziehen, der Boden ist kalt, nachts jedenfalls.«

Er verschwand von der Tür, man hörte ihn im Inneren der Wache herumrumoren, und als er wieder zum Vorschein kam, sagte er: »Also, was gibt's?«

Elisabeth hielt das nicht mehr länger aus. Sie rief: »Meine Schwester ist verschwunden!«

»Wer?«

»Meine Schwester.«

»Ihre Schwester?«

»Ja.«

»Seit wann?«

»Seit drei Stunden.«

Es wurde still. Irgendwo tickte eine Uhr an der Wand. In düsterem Schweigen starrte der Polizist das Ehepaar Konradi an. Endlich sagte er: »Seit drei Stunden?«

»Ja«, erwiderten Elisabeth und Heinz wie aus einem Munde.

Der Polizist nickte: »Kommen Sie morgen wieder.«

Nun entwickelte sich natürlich ein Wortwechsel, der rasch ungemütlich wurde, da besonders Elisabeth keineswegs bereit war, sich dem Ansinnen der Staatsgewalt zu beugen. Und sie obsiegte schließlich, nachdem sie dem Polizisten entgegengeschleudert hatte: »Wachen Sie auf! Es ist Gefahr im Verzuge!«

Daß mit dieser Floskel die Polizei am ehesten auf die Beine zu bringen sei, hatte sie irgendwo einmal gelesen.

»Kommen Sie rein«, sagte der Beamte und ging voraus in den Wachraum.

Und endlich setzte dort das ein, was schon längst hätte stattfinden sollen: ein konkretes Gespräch über das Vorgefallene.

Heinz Konradi schilderte in allen Einzelheiten, was sich zugetragen hatte. Am Ende richtete der Beamte die erste Frage, die in der Dienstvorschrift stand, an ihn: »Lebensmüde war sie nicht?«

»Keine Spur!« rief Elisabeth, die gar nicht gefragt worden war. »Ganz im Gegenteil!«

»Sie hat auch nichts Verdächtiges in der Richtung geäußert?«

»Nie!«

»Kennen Sie diesen Herrn Sanke näher?«

»Näher nicht«, meldete sich Heinz wieder zu Wort.

»Welchen Eindruck machte er auf Sie?«

»An sich keinen schlechten.«

»Auf mich schon!« mischte sich Elisabeth abermals ein.

»Wieso?«

»Er sieht aus wie ein Elefant.«

»Was haben Sie gegen Elefanten?« fragte der Polizist, und Heinz sagte zu seiner Frau: »Elisabeth, du –«

Sie schnitt ihm das Wort ab: »Sei still! Deine Menschenkenntnis hat uns das alles eingebrockt!«

Daran entzündete sich selbstverständlich wieder ein mittlerer Wortwechsel, aus dem sich diesmal der Polizeibeamte freilich heraushielt. Das konnte er aber nur tun bis zu dem Moment, in dem Heinz ihn zum Schiedsrichter aufrief, indem er meinte: »Man kann doch einen Menschen nicht von vornherein zum Verbrecher erklären, nur weil er zwei oder drei Zentner wiegt. Was sagen Sie dazu, Herr Wachtmeister?«

»Nein«, antwortete der Gesetzeshüter und fuhr, als er Elisabeths Gesichtsausdruck sah, rasch fort: »Hat Ihnen der Mann seinen Beruf genannt, Herr Konradi?«

»Früher war er Milchprüfer, jetzt ist er Vertreter für Lehrmittel.«

Der Wachtmeister schrieb das alles auf und erklärte zum Schluß: »Vorläufig weiß ich nun Bescheid. Im Moment ist noch nichts zu machen, aber morgen werden wir sehen. Die Vermißte ist 24 Jahre alt, für ihr Verschwinden – soweit man nach drei Stunden überhaupt schon von einem Verschwinden reden darf – kann sich eine ganz normale Erklärung finden –«

»Rufen Sie doch wenigstens Ihren Kollegen in Marktstett an!« unterbrach ihn Elisabeth Konradi verzweifelt.

»Wieso?«

»Ob dieser Sanke schon bei seinem Vater eingetroffen ist!«

»Woher soll mein Kollege das wissen?«

»Großer Gott, er muß halt nachsehen! Dazu ist die Polizei doch da!«

Der Beamte zuckte die Achseln. »Meinetwegen.«

Er rief an. Doch dann wurde dem Ganzen die Krone aufgesetzt. Der Anruf ging ins Leere. Es meldete sich niemand. Entweder war der Posten in Marktstett unbesetzt, oder es hatte dort einer einen Schlaf, der den seines Kollegen in Ebbenrath noch in den Schatten stellte.

Das Ganze spielte sich vor vielen Jahren ab, relativ kurze Zeit nach der Währungsreform. Man muß sich daran erinnern, um solche Dinge für möglich zu halten. Heutzutage könnte sich das nicht mehr wiederholen.

Elisabeth und Heinz Konradi sahen sich also auf sich selbst angewiesen.

Als sie das Revier in Ebbenrath verließen, schickte Heinz einen anklagenden Blick zum Himmel empor und stieß hervor: »Schöne Zustände sind das!«

»Was nun?« fragte Elisabeth bang.

Heinz blickte zurück zur Tür der Polizeiwache und schüttelte nur noch den Kopf.

4

Das Ergebnis auf der Polizei hätte also magerer nicht sein können. Plötzlich fiel den beiden etwas ein. Sie liefen noch einmal zurück und erreichten bei dem Beamten, daß er im Krankenhaus von Ebbenrath anrief und anfragte, ob in der Zeit zwischen halb elf und zwei Uhr ein Unfallopfer, ein Mädchen, eingeliefert worden sei. Doch auch diese Anfrage verlief ergebnislos.

Nein, man hatte keine Unfall-Einlieferung zu verzeichnen gehabt. Lediglich eine Fehlgeburt.

Klick – das Telefon schwieg.

Dunkelheit und Rätsel auf der ganzen Linie. Ein Mensch verschwindet spurlos, ein gesunder, erwachsener, mit sämtlichen Ausweismitteln versehener Mensch.

Elisabeth Konradi war dem Zusammenbruch nahe. Der Weg vom Polizeirevier zu ihrem Haus war mehr ein Sichschleppen als ein Gehen. Ihre Gedanken waren leer, ratlos; verzweifelt machte sie sich die bittersten Selbstvorwürfe.

Heinz Konradi legte sich unterdessen einen Plan zurecht. Einen Plan, der – wenn er präzise abrollte – eine mustergültige Fahndungsaktion in eigener Regie werden konnte.

Zunächst würde man nach Marktstett gehen, und zwar auf zwei verschiedenen Strecken.

Über die Chaussee Elisabeth und er. Über den Berg und durch den Wald Anny von Borcken und Erich Kiel in Begleitung von Bebsy als Spürhund.

Vor der Post in Marktstett sollte man sich dann treffen, falls Brigitte nicht gefunden wurde.

Dann: Besuch beim Vater Paul Sanke in Marktstett. Dort gab es zwei Möglichkeiten: Befand sich Herbert zu Hause, so war Brigitte etwas zugestoßen; befand er sich nicht zu Hause, wollte man warten bis morgen früh.

Und dann würde Punkt 3 zur Ausführung kommen: Alarmierung der Feuerwehr; Anzeige bei der Kriminalpolizei in der Kreisstadt; Einsatz von Suchtrupps und Aufrufe an die Bevölkerung zur Mithilfe. Außerdem Benachrichtigung der Medien, während die ganzen Wälder um Ebbenrath systematisch würden durchgekämmt werden.

Heinz Konradi runzelte die Stirn. Sein Phlegma war berühmt, es konnte sogar Melancholiker in Raserei versetzen, aber wenn er einmal die Zügel in die Hand nahm, dann geschah die Fahrt so verwegen, so genau, logisch und rücksichtslos, daß seine Umgebung lange aus dem Staunen nicht mehr herauskam. Und was er in dieser Nacht mit scharfem Verstand entwickelte, war der Entwurf einer Musterorganisation.

Anny von Borcken saß noch immer an ihrem Schlafzimmerfenster und wartete auf Nachrichten. Als sie Elisabeth und Heinz stumm und bedrückt ankommen sah, wußte sie alles und hätte gar nicht mehr zu fragen brauchen. Trotzdem tat sie es: »Habt ihr sie?«

Beide schüttelten verneinend die Köpfe, und Heinz sagte: »Wir müssen nach Marktstett.«

»Ich komme mit«, entschied sich Anny spontan.

»Darauf habe ich gehofft«, antwortete Heinz und entwickelte ihr seinen Plan. Abschließend sagte er, um die allgemeine Stimmung zu heben, optimistisch: »Vielleicht haben wir Glück, und Brigitte sitzt quietschvergnügt in Marktstett bei dem alten Paul Sanke, und alle drei heben einen Korn.«

»Wenn das der Fall ist, haue ich ihr rechts und links eine hinter die Ohren, daß es nur so knallt«, versprach Elisabeth. »Das wäre ja der Gipfel von ihr. Aber ich glaube es nicht, so kenne ich Brigitte nicht. Das könnte sie mir nicht antun. Nein, unsere Gitti tut das nicht.«

Es ist ein Charakterzug der Frauen, an ihren Lieblingsbehauptungen festzuhalten. Die einen jagen mit dem Ruf: »Die moderne Frau ist gleichberechtigt!« ihrem alten, nie in Erfüllung gehenden Traum nach, auch einmal die berühmten »männlichen Freiheiten« zu besitzen. Die anderen verstecken hinter der Betonung der »zum Manne aufschauenden Fraulichkeit« ihre Unfähigkeit, mehr zu sein als nur ein Weib. Wirft man beides in einen Topf und rührt es gut durcheinander, erhält man eine Mischung, die der Optimist die »ideale Frau« nennt, die ideale Frau, die nur den einen großen, unverzeihlichen Fehler hat, daß es sie nicht gibt. Sie ist ein Wunschgebilde und damit verurteilt, immer ein Traum, ein seliger Traum der Männer zu bleiben.

Heinz Konradi übernahm zunächst die schwere Aufgabe, Erich Kiel aus dem Bett zu werfen. Den Weg zu ihm kannte er ja.

Die Tür des Hauses, in dem das verkannte Genie wohnte, war unverschlossen. Die steile, enge Treppe knarrte, und als Konradi oben unter dem Dach vor dem Mansardenzimmer stand, hörte er drinnen seinen Freund schon schnarchen. Auch diese Tür fand er noch einmal offen vor.

Auf dem Boden lagen Erichs Sachen. Jedes Stück befand sich dort, wo er es gerade ausgezogen hatte. Das ging sogar so weit, daß ein Socken unterm Fenster lag, der andere in der entgegengesetzten Ecke beim Ofen. Und da sagen die Leute immer, beim Militär lerne man Ordnung, dachte Heinz. Nee, Erich hat keine gelernt, obwohl gerade er nicht müde wird, das zu behaupten, wenn er daran ist, uns von seiner Glanzzeit als Offizier zu erzählen.

Auf dem Ofen, der kalt war, lagen neben der Zeitung von gestern auch die Südafrika-Prospekte.

Es roch nach Alkohol.

Heinz trat ans Bett des Schlafenden und rief leise: »Erich!«

Genauso gut hätte er versuchen können, mit einem solchen Ruf den unbekannten Soldaten unter dem Pariser Triumphbogen zu wecken.

»Erich!« probierte es Heinz lauter.

Immer noch nichts.

»Erich, wach auf!«

Das Schnarchen verstummte zwei Sekunden lang und setzte dann um so stärker wieder ein.

»Verdammt noch mal, du Penner, du sollst aufwachen, ich

brauche dich!«

Als ihm auch jetzt noch der Erfolg versagt blieb, griff Heinz endlich zu jenem einfachen Mittel, das immer wirkt – er hielt dem Schlafenden die Nase zu.

»Was willst du?« fragte Erich, als er den Kerl, der ihm den Schlaf raubte, erkannte.

»Wir müssen Brigitte suchen, Erich.«

»Welche Brigitte?«

»Frag nicht so dumm! Oder bist du noch besoffen?«

Ja, er war beides noch: alkohol- und schlaftrunken. Der Nebel in seinem Gehirn verflüchtigte sich nur langsam. Er sagte: »Mann, hab' ich Durst! Hast du was zu trinken?«

Heinz riß ihm mit einem Ruck die Decke weg, und in Erich flammte heißer Protest dagegen auf.

»Was soll das? Was willst du eigentlich?«

Heinz Konradi erklärte es ihm.

Das dauerte natürlich seine Zeit, denn Erichs Auffassungsvermögen regenerierte sich, wie gesagt, nur langsam. Immerhin war das, was er begriff, nicht dazu angetan, ihn zu begeistern. »Nee«, sagte er unfreundlich, »sucht euch die alleine. Ich bin zu müde dazu.«

»Erich, du weißt nicht, was du sagst. Komm zu dir!«

»Ihr wollt nach Marktstett?«

»Ja doch!«

»Jetzt gleich?«

»Sicher.«

»Mitten in der Nacht?«

»Ja.«

»Ohne mich.«

Erich Kiel angelte nach der Decke, die ihm entrissen worden war, und unterstrich damit den Ernst seiner Worte.

»Ihr seid ja verrückt«, erklärte er dabei. »Soll ich euch sagen, wo die ist? Soll ich euch das sagen?«

»Wo?«

»Im Bett.«

»Ist sie nicht! Laß dir das von Elisabeth bestätigen!«

»Bei Elisabeth ist sie natürlich nicht im Bett, das ist klar, sondern in einem ganz anderen. Sag mal, bist du bescheuert?«

»Nein.«

»Ich denke, doch. Und gib mir jetzt endlich meine Decke wieder! Laß los, mir ist kalt!«

Die beiden zerrten zwischen ihnen die arme, unschuldige Decke hin und her, bis diese echt zu zerreißen drohte. Heinz Konradi gab endlich nach, weil er der Klügere zu sein glaubte. Erich Kiel schlüpfte bis zum Hals unter das gute Stück, dessen Rückeroberung ihm Genugtuung bereitete.

»Und jetzt gute Nacht«, sagte er, drehte sich zur Wand und verstummte.

Heinz Konradi ließ seinen verächtlichen Blick über das ganze Bett samt Inhalt gleiten und sagte dann: »Ein schöner Freund bist du . . .«

Erich reagierte nicht.

»Unter einem ehemaligen Offizier habe ich mir etwas anderes vorgestellt«, setzte Heinz hinzu.

Als auch das noch nichts nützte, fuhr er noch schwereres Geschütz auf: »Nun ist mir klar, warum wir den Krieg verloren haben.«

Die Wand warf einen Knurrlaut zurück.

»Das sagt auch Anny«, faßte Heinz nach.

»Anny?« Wie eine Kerze, so gerade saß Erich Kiel im Bett. »Wann hat die das schon einmal gesagt?«

»Kürzlich.«

»War das auf mich gemünzt?«

»Nicht direkt. Aber wenn du so weitermachst, wird sie dir solche Dinge bald ins Gesicht sagen. Du mußt uns nur heute im Stich lassen . . .«

»Was hat das mit Anny zu tun?«

»Sie hilft uns suchen. Sie kommt mit nach Marktstett.«

»Anny?«

»Ja.«

»Anny von Borcken?«

»Sie wollte sogar mit dir den Weg durch den Wald nehmen.«

Erich Kiel sprang aus dem Bett.

»Warum sagst du das nicht gleich, du Idiot?«

Nach zwei Minuten war er fix und fertig angezogen.

Eine Viertelstunde später zog die Kolonne los, hinein in die Nacht und in die nebelverhangenen Berge.

Bebsy, der Foxterrier, rannte ihnen voraus.

Die Suche begann streng nach dem Plan Heinz Konradis. Erich Kiel und Anny von Borcken bogen an der Brücke ab und betraten den Waldweg, der sich steil den Berg hinaufwand und auf der anderen Seite in hübschen Spiralen ins Tal von Marktstett hinablief. Davon sah man natürlich jetzt in der Dunkelheit nichts. Bebsy wurde vorausgeschickt, sie schnüffelte gewohnheitsmäßig an allen Büschen und freute sich maßlos über diesen schönen Nachtspaziergang.

Weniger erfreut gab sich Erich Kiel. Er wollte ja sein Gesicht nicht ganz verlieren. Außerdem hatte er einen gewaltigen Kater, der es ihm in der Tat nicht leicht machte, Bebsys Stimmung zu teilen. So nannte er denn die ganze Suche eine »Jagd nach versteckter Erotik« und Elisabeth eine verrückte und hysterische Nudel. Das Vergnügen, nachts mit Anny von Borcken allein durch den Wald zu streifen, kam also bei ihm nur langsam zum Vorschein – etwa wenn er sagte: »Sollten Sie Angst haben, dürfen

Sie sich ruhig bei mir einhängen.«

Bebsy schnüffelte und leckte die Regentropfen von den Gräsern.

Elisabeth und Heinz Konradi wanderten unterdessen die Chaussee nach Marktstett entlang, einsam, stumm, von selbstanklägerischen Gedanken gequält. Sie blieben in Abständen von 300 Metern stehen und schrien immer wieder »Gittiii!« in alle Windrichtungen, lauschten eine Weile auf eine Antwort und trotteten dann weiter . . . stumm, ernst, niedergedrückt.

Opfer einer fixen weiblichen Idee . . .

Die Nacht hatte sich aufgeklärt. Die Sterne brachen durch, die Wolkenschleier zerrissen und zogen flatternd unter den Gestirnen. Ein leichter, kühler Wind rauschte in den hohen Fichtenbäumen. Es roch nach Erde, verfaulenden Fichtennadeln und Harz. Aus den Schluchten stieg langsam, wie ziehender Rauch, ein dünner, auseinandergezogener Nebel.

Seit einer Stunde trotteten Elisabeth und Heinz Konradi über die Chaussee. Nur ab und zu fiel ein Wort zwischen den beiden – sie schienen zu fühlen, daß auch dieser Weg zu keinem Ziel führte und Brigitte Borgfeldt verschollen blieb. Der Gedanke eines Unfalles auf der Straße verblaßte; um so mehr aber nahm ein anderer Gedanke eine schreckliche Form an: Brigitte lebt nicht mehr; sie war im Wald ermordet worden.

Elisabeth Konradi schmerzten die Füße. Sie hatte ihre leichten Sommersandalen an, trug keine Strümpfe, fühlte ihre Fußsohlen brennen und merkte, wie der Riemen der Schnalle in die Fersen große Blasen rieb. Aber sie biß die Zähne zusammen, wickelte, als der Schmerz zu groß wurde, ihr und Konradis Taschentuch als Fußlappen um die Füße und humpelte dann, gestützt auf Heinz, weiter, verbissen, tapfer, angetrieben von der Kraft der Verzweiflung.

Als sie die höchste Stelle der Chaussee erreicht hatten und die Straße sich in weiten Bögen wieder nach unten senkte, blieb Heinz Konradi stehen und zeigte in das ferne Tal, wo schwach zwischen Fichten und hohen Buchen einige kleine Lichter blitzten.

»Marktstett«, sagte er leise. »Jetzt geht es abwärts, da kannst du besser laufen.«

»Wie weit ist es denn noch?« fragte Elisabeth mit kläglicher Stimme. Sie hing an seinem Arm und hob den rechten Fuß, der sie am ärgsten schmerzte.

»Noch eine Stunde. Wir haben jetzt etwas über die Hälfte geschafft. Nur die Zähne zusammenbeißen, Eli, es geht schon noch. Wir können jetzt nicht mehr zurück; das wäre der gleiche Weg, und wir hätten gar nichts erreicht.«

»Und wie kommen wir nach Ebbenrath? Ich . . . ich schaffe den Weg nicht noch einmal.«

»Um sechs Uhr morgens fährt ein Omnibus.«

Elisabeth atmete auf. Neuer Mut schien sie zu beleben.

»Um sechs Uhr? Bis dahin müssen wir Gitti gefunden haben . . .«

Stumm schritten sie weiter, mußten aber immer wieder stehen bleiben, da es Elisabeth unerläßlich schien, ihren schmerzenden Füßen Pausen zu gönnen. Diese Unterbrechungen des Marsches mehrten sich, je näher die beiden Marktstett kamen.

Der Weg über die Berge, den Erich Kiel und Anny von Borcken nahmen, war übersät mit aus der Erde herauskommenden, über den Weg laufenden Baumwurzeln. Dadurch gestaltete sich der Marsch für Anny und Erich mehr zu einem Balancieren als einem Gehen.

Das war der Anlaß zahlreicher Wutausbrüche Erich Kiels. Seine Auslassungen über den Unsinn von Suchexpeditionen nach

Liebespaaren erreichten fast schon einen universitätsreifen Vortragsgrad, der Anny von Borcken trotz der Sinnlosigkeit dieser Worte in solchen Situationen ungemein gefangennahm und interessierte. Mit aufrichtiger Anteilnahme hörte sie zu, klammerte sich an den hilfsbereit herbeispringenden Kiel, wenn sie über eine Wurzel stolperte, und gestand sich im Innern, daß dieser unfreiwillige nächtliche Ausflug auch etwas Gutes mit sich brachte: Sie lernte in Erich Kiel einen zwar entgleisten, aber allseits beweglichen und großen Geist kennen, dessen einziger Fehler es war, daß er leeres Stroh drosch und seine Weltverbesserungspläne an die falsche Stelle trug – nämlich in den Wind.

Auf der Kuppe des Berges, hinter dem Marktstett lag, stand ein großes Kreuz mit einer Bank daneben. Warum es gerade an dieser einsamen Stelle stand, war unbekannt, denn weder seinen Sinn noch seinen Zweck konnte das Kreuz dort erfüllen, neben jener Bank schon gar nicht.

Die Bank allerdings – hierüber war man sich längst einig – war eine menschenfreundliche Einrichtung und wirkte in wichtiger und stets konstanter Weise in die Statistik des Standesamts von Ebbenrath hinein. Sichtbare Anhaltspunkte dafür lieferten die vielen in die Lehne und das Sitzbrett eingeschnitzten Herzen, Namen und Jahreszahlen, wenn es auch nicht zu übersehen war, daß das, was solchen Zeugnissen jeweils vorausging oder auch hinterherfolgte, besser nicht im Schatten des Kreuzes hätte geschehen sollen.

Diese Bank nun war für Anny von Borcken wie ein Hafen für ein leckes Schiff. Denn auch Annys Füße brannten, weil sie an den Hacken große Blasen hatten, und überhaupt war der Weg in der Nacht doppelt anstrengend – in Begleitung Erich Kiels. Zudem soll man eine Bank am Wege nicht unbenützt lassen, wenn man zu zweit ist, es sei denn, man ist über die Jahre hinaus oder schon verheiratet.

Und so saßen Anny von Borcken und Erich Kiel in der Nacht auf den Bergen mitten im Hochwald auf einer Bank und schauten durch die Äste der Fichten hinauf zu den Sternen.

Es war wunderbar still um sie.

So still, daß man die Herzen klopfen hörte.

Und junge Herzen klopfen so laut . . .

Elisabeth und Heinz Konradi näherten sich der letzten Kurve der Chaussee, ehe diese sich in weitem Bogen ins Tal nach Marktstett schwang.

Sie gingen langsam, Schritt für Schritt. Elisabeth wankte. Fast hätte Heinz Konradi seine Frau noch ein Stück tragen müssen.

Perlender Schweiß bedeckte trotz der Kühle der Nacht sein Gesicht und lief ihm in den offenen Kragen. Sein Hemd lag ihm naß auf der Haut. Das kann eine nette Verkühlung werden, dachte er fortwährend. Verflucht, wenn ich den Sanke erwische, zermalme ich ihn!

Elisabeth war in der letzten halben Stunde stumm geworden. Sie trug ihr Schicksal mit der ergebenen Miene einer Märtyrerin.

Wortlos stolperten sie an den ersten Häusern Marktstetts vorbei, lasen von der Turmuhr der alten, romanischen Dorfkirche die Zeit ab – halb vier – und erreichten den vereinbarten Treffpunkt mit Anny von Borcken und Erich Kiel.

Aber bereits hier erlebten sie ihre erste große Enttäuschung. Trotz des bedeutend kürzeren Weges über die Berge waren Anny und Erich noch nicht in Marktstett angelangt.

Ratlos sahen sich Heinz und Elisabeth Konradi an.

»Ob sie Brigitte gefunden haben?« fragte Elisabeth bang. »Hatten wir nicht ausgemacht, daß die Gruppe, die auf Gitti stößt, umkehrt?«

Heinz Konradi schüttelte den Kopf. Ein anderer Gedanke war ihm plötzlich gekommen.

»Ich habe einen großen Organisationsfehler begangen«, sagte er. »Einen ausgesprochenen Bock habe ich geschossen. Ich hätte Erich nie und nimmer mit Anny allein in den Wald schicken dürfen.«

»Du meinst . . .?«

»Ich weiß doch, worauf Erich seit langem scharf ist.«

»Aber doch nicht heute nacht, Heinz, wenn er Brigitte suchen soll. Das wäre der Gipfel der Geschmacklosigkeit.«

»Es ist immer noch nicht raus, ob diesen Gipfel, von dem du sprichst, nicht schon vorher Brigitte erklommen hat.«

»Heinz!!«

»Ja?«

»Wie oft soll ich dir noch sagen: Meine Schwester tut das nicht!«

»Komm!« antwortete Heinz, um der Debatte ein Ende zu machen, und ergriff seine Frau am Arm.

»Wohin?«

»Wir müssen den Dorfpolizisten ausfindig machen.«

»Und wo? frage ich dich. Hast du eine Ahnung, wo wir ihn finden?«

»Nein. Aber das werden uns die sagen.«

Dabei zeigte Heinz auf den vor ihnen liegenden Gasthof »Zur Post«. Daß sich in demselben um diese Zeit keine Seele regte, war klar. Alles schlief. Die Fensterläden waren geschlossen. Elisabeth schaute zweifelnd drein.

»Willst du die wecken?«

»Was bleibt mir denn anderes übrig, mein Schatz?«

»Die werden nicht begeistert sein, Heinz.«

»Vielleicht schütten sie mir einen Nachttopf über den Kopf, aber wir haben keine andere Wahl.«

»O Gott«, seufzte Elisabeth, »und die Reinigung hat wegen Renovierung acht Tage zu. Was mache ich mit deinen Sachen?«

»Die wäschst du mir schön brav!« sagte Heinz Konradi grimmig, trat an die dicke Eichentür des Gasthofs und hieb mit der Faust kräftig gegen die Füllung. Dumpf, widerhallend dröhnten die Schläge durch das stille Gebäude. Der Krach mußte Taube erwachen lassen.

Immer und immer wieder schlug Heinz Konradi gegen die Tür. Endlich, nach langem, klappte im ersten Stockwerk ein Fensterladen auf und eine junge Frau im Nachthemd steckte den zerzausten Kopf durch das Fenster.

»Ja?« fragte sie unwillig. »Was ist denn? Was wollen Sie denn?«

»Verzeihen Sie, wir suchen jemanden!« rief Konradi hinauf. »Es ist ein Notfall. Wo finden wir hier die Polizei?«

»Welcher Notfall?« fragte die Frau, deren Neugierde sofort erwacht war.

»Es ist jemand verschwunden. Deshalb brauchen wir die Polizei.«

»Hier gibt's nur einen Polizisten.«

»Das haben wir uns schon gedacht. Wo finden wir ihn?«

»Gehen Sie die Hauptstraße ganz hinunter, übers Spritzenhaus hinaus. Dann kommen auf der linken Seite drei einzelne Häuser. Im mittleren wohnt der Wachtmeister Behrens.«

»Danke.«

»Bitte, gern geschehen. Wer ist denn verschwunden? Ein Kind?«

»Nein.«

»Ein Erwachsener?«

»Ja.«

»Ein Mann oder eine Frau?«

»Eine Frau.«

»Das habe ich mir gedacht, eine Frau. Ist ja wohl klar, nicht? Zustände sind das heutzutage, das geht auf keine Kuhhaut mehr!

Wenn Sie ein bißchen warten, komme ich runter . . .«

»Wozu?«

»Ich bringe Sie zum Behrens. Er war gestern abend wieder lange hier bei uns und wird nicht leicht zu wecken sein. Aber ich kenne mich aus mit ihm und –«

»Danke, nicht nötig, wir werden das schon schaffen«, unterbrach Heinz die hilfsbereite, neugierige Seele und zog Elisabeth mit sich fort.

Die Sterne verblaßten am Himmel. Im Osten zeigte sich ein fahler Streifen, der von den Wolkenrändern langsam über die Kuppen der Berge zog und die Nebelschleier aus den Schluchten empor zu den dunklen Wäldern lockte. Es war kühl und feucht und roch nach frisch besprengter Erde. Ein Duft nach Pilzen hing auch in der Luft.

Erich Kiel und Anny von Borcken saßen noch immer auf der Bank neben dem Kreuz. Sie hatten in den vergangenen Stunden wenig miteinander geredet, aber um so mehr, jeder für sich, gedacht, und die wenigen Worte, die man sprach, waren einfach und ohne Romantik.

»Es ist dumm, nachts unter einem Baum auf einer Bank zu sitzen und hinauf zu den Sternen zu starren. Und dazu auch noch eine Stunde durch den Wald zu laufen und Berge zu erklettern«, meinte Anny von Borcken und legte den Kopf weit in den Nakken.

»Wir sollten eigentlich diese Brigitte Borgfeldt suchen«, wagte Erich Kiel zu antworten. Er war in der letzten Viertelstunde noch stiller geworden als Anny und gab sich reichlich lyrisch.

»Brigitte?« Anny winkte ab und lächelte. »Wenn ich mir vorstelle, daß sie jetzt womöglich auch auf irgendeiner Bank sitzt und in die Sterne sieht und wir deshalb die Polizei alarmiert haben und zu viert loszogen, muß ich schallend lachen. Was meinen

Sie? Waren wir nicht Riesenidioten, uns von Elisabeth anstecken zu lassen?«

»Immerhin hat ihr Wirbel uns beide hierher auf diese Bank geführt«, meinte Erich Kiel mit überraschend leiser Stimme. »Und dafür bin ich dankbar. Ich hätte sonst nie die Möglichkeit gehabt, zu sagen, was ich empfinde.«

»Feigling!«

»Mag sein. Darin ist wohl jeder Mann einmal ein Feigling. Nichts ist schwerer als der erste wirkliche Schritt in ein anderes Leben.«

»Das soll ein Wort sein!« Anny von Borcken senkte den Kopf und blickte Erich Kiel voll und unbefangen an. »Soviel ich aus allem heraushöre, wollen Sie mir sagen, daß Sie mich lieben.«

»Ja.«

»Schön. Ich meine: theoretisch schön. Aber wie denken Sie sich das praktisch?«

»Wie bitte?« Erich Kiel staunte. Praktisch, dachte er blitzschnell. Was meint sie mit praktisch?

»Ich möchte wissen, was Sie als einen neuen Lebensanfang bezeichnen. Oder wollen Sie eine Ehe gründen auf der unsicheren Basis eines Vertreters ohne Kunden? Wie denken Sie sich das eigentlich?«

»Ich habe Pläne.«

Anny von Borcken winkte ab. »Pläne? Was sind Pläne? Realitäten, die sind für mich wichtig! Als unser Freund Heinz Konradi bei seinem Schwiegervater um die Hand Elisabeths anhielt und sagte, es seien drei Bücher von ihm im Druck, die im Laufe des Jahres erscheinen werden, lautete die Antwort des alten Herrn: ›Schön und gut – und wieviel kriegen Sie dafür?‹ Heinz war damals innerlich entrüstet über diese prosaische Art, aber der alte Herr hatte recht. Was kriegen Sie dafür, das ist im Leben entscheidend, nicht, was man sich erhofft. Von Hoffnungen allein konnten schon viele Genies nicht leben; sie sind verhungert, während der Mann, der am Tag zehntausend Nägel einschlug, sich nach zehn Jahren ein Haus bauen konnte.«

Erich Kiel sann vor sich hin, dann seufzte er.

»Was seufzen Sie?« fragte ihn Anny prompt.

»Sie wissen, ich war aktiver Offizier . . .«

»Das nützt Ihnen heute gar nichts mehr.«

»Eben.«

»Waren Sie in Gefangenschaft?«

»Ein halbes Jahr.«

»Und dann? Was haben Sie dann gemacht?«

Erich Kiel grinste plötzlich und sagte: »Dann ging's mir blendend. Ich verdiente im Monat zehntausend Mark und mehr. Ich –«

»Hören Sie auf!« unterbrach ihn Anny. »Sie waren also Schwarzhändler?«

»Ja«, nickte er. »Wie alle in der schlechten Zeit.«

»Nicht alle.«

»Aber die meisten. Ich jedenfalls hatte alles: Kisten mit Speck und Schinken aus Bayern, eingetauscht gegen Töpfe und Kuhketten; zweitausend Paar Seidenstrümpfe aus der Ostzone. Ich bin siebenundzwanzigmal schwarz über die Zonengrenze. Es gibt keinen Grenzübergang zwischen der Ostzone und Hessen, den ich nicht kenne. Dann kam das Geschäft mit Fotoapparaten, das Bombengeschäft mit Pelzmänteln und Medikamenten. Glauben Sie, mir ist es vorher und nachher nicht mehr so gut gegangen wie damals. Es war herrlich.«

»Das nennen Sie herrlich?«

»Hätte mir damals jemand eine legale Arbeit gegeben? Hätte man mich, den Hauptmann mit dem Deutschen Kreuz in Gold, aus dem Dreck gezogen, wenn ich an die maßgeblichen Türen geklopft hätte? Glauben Sie, ein Mensch hätte mich aufgelesen, wenn ich hungernd im Straßengraben gelegen wäre? Nein. Ich habe damals auf alle Korrektheit und allen Anstand gepfiffen. Wenn ich die dicken Wänste der Geschäftsleute sah und ihre Gaunereien unter der Theke, dann hatte ich einfach keine Skrupel, es ihnen nachzumachen. Ich müßte ja blöd gewesen sein. Nee, liebe, beste Anny, kommen Sie mir da nicht mit Vorwürfen – oder Sie verurteilen das ganze deutsche Volk.«

Anny von Borcken schwieg eine Weile. Sie sah die Hungergesichter der Kinder wieder vor ihren Augen auftauchen, die Skelette in den Krankenhäusern, die Schüler, die vor Hunger und Übermüdung in ihren Bänken einschliefen. Sie sah die riesigen Schlangen vor den Geschäften stehen, flankiert von Polizei mit weißen Holzknüppeln, sie sah aus dem Geschäft einen dicken Menschen mit blühenden roten Backen und fettem Atem treten und hörte ihn jovial sagen: ›Leute, heute gibt's noch nichts . . . aber morgen . . . vielleicht morgen.‹ Und aus der Hintertür gingen bei Nacht die Kisten in alle Richtungen.

Anny von Borcken schwieg. Sie mußte schweigen, denn wer dürfte noch zu Gericht sitzen über eine Zeit, die so viele Menschen zu Hyänen gemacht hatte.

»Und heute?« fragte sie nach einer ganzen Weile. »Was haben Sie heute vor?«

»Ich will arbeiten«, sagte Erich Kiel einfach. »Man muß mir nur eine Chance geben. Ich ergreife sie, wo ich sie finde.«

»In Südafrika?«

»Würden Sie mitkommen?«

»Nein.«

»Und wenn ich hierbliebe?«

»Dann würde ich dir die Chance suchen helfen – für uns beide.«

»Anny!!«

Und Erich Kiel wäre ein Trottel gewesen, wenn er in diesem

Augenblick Anny nicht herzhaft geküßt hätte.

Aus dem Tal stieg der Frühnebel in die Berge. Die Sterne wurden weiß, milchig. Der helle Streifen im Osten überzog weit den gezackten, waldreichen Horizont.

Irgendwo in den Zweigen erwachte müde flatternd der erste Vogel.

Es wurde Tag . . . auf den Bergen . . . im Tal . . . und in den Herzen.

Einsam steht neben einem Kreuz eine alte Bank . . .

Wachtmeister Josef Behrens lag in seinem breiten Bauernbett und schnarchte.

Er schnarchte melodisch, denn er war Mitglied des Gesangvereins und erster Baß. Er hatte gerade einen schönen Traum von einer Beförderung (ein Traum, der sich seit fünf Jahren ständig wiederholte) und grunzte ab und zu vor Wohlbefinden. Es mußten herrliche Bilder sein, die er im Traume sah.

In diesen Traum hinein schrillte grell die Hausklingel. Josef Behrens unterbrach das Schnarchen und drehte sich zunächst auf die andere Seite. Doch da das Schellen nicht aufhörte, fuhr er blinzelnd aus den Kissen und blickte zunächst dumm und verständnislos um sich. Eben noch habe ich Sekt getrunken, und jetzt liege ich im Bett, dachte er. Komisch. Und klingeln tut es auch. Das Telefon? Er nahm den Hörer ab, aber der Apparat blieb still. Also draußen an der Tür. Da will einer etwas von mir. Himmel auch, ich bin ja Wachtmeister und im Dienst auf Abruf!

Mit einem Satz sprang er aus dem Bett, schlüpfte in seine Hose und seinen Uniformrock, schnallte das Koppel um (ohne Koppel ist ein Polizeibeamter kein Polizeibeamter) und schritt dann zur Tür, gleichzeitig die Flurbeleuchtung anknipsend.

»Was wollen Sie?« fragte er Heinz Konradi etwas ungnädig, als er geöffnet hatte. Doch als er Elisabeth im Hintergrund sah, wurde er etwas zugänglicher. Irgendwie ahnte er, daß ein wichtiger, nicht alltäglicher Fall an ihn herangetragen wurde.

Es war ein einmaliger Fall!

Als Heinz in kurzen Worten den Sachverhalt geschildert hatte, wobei Elisabeth seine Darlegungen wirksam mit Schluchzen untermalte, sah Josef Behrens zunächst eine Weile stumm vor sich hin. Er rekapitulierte den Fall und wurde sich nicht schlüssig, welche Sparte der Dienstvorschrift hier heranzuziehen war. Schließlich blickte er auf.

»Sie wollen also feststellen, ob ein Herr Sanke hier in Marktstett angekommen ist?«

»Ja. Wir vermuten, daß er bei seinem Vater ist. Paul Sanke heißt der Vater.«

»Kenne ich nicht.« Josef Behrens zuckte die Achseln. »Ist mir völlig unbekannt.«

»Er soll Verwalter eines Gutes sein.«

»Hier in Marktstett?« Der Wachtmeister schüttelte zweifelnd den Kopf.

»Ja. Vor einem Vierteljahr ist er zugezogen.«

Josef Behrens atmete auf.

»Vor einem Vierteljahr war ich auf einem Lehrgang. Und in der Zwischenzeit gaben eventuelle Neuzugänge keinen Anlaß zu Beanstandungen. Kein Wunder, daß mir also ein Paul Sanke bisher entgangen ist. In der ›Post‹ verkehrt er auch nicht.«

»Dann muß ihn auf jeden Fall der Gemeindeschreiber kennen. Er wird sich ja beim Zuzug angemeldet haben.«

»Gemeindeschreiber haben wir keinen. Das macht alles der Bürgermeister in eigener Person.«

»Dann auf zum Bürgermeister!«

»Was heißt das?« Wachtmeister Behrens riß erstaunt die Augen auf. »Wollen Sie den wecken? Um diese Zeit?«

»Was denn sonst? Es ist unumgänglich. Außerdem sind Bürgermeister für das Volk da. Wir müssen diesen Sanke ausfindig machen.«

Josef Behrens runzelte die Stirn. Den Bürgermeister zu wecken, war eine unangenehme Angelegenheit. Männer in höheren Positionen empfinden die Störung ihres Schlafes als eine persönliche Beleidigung. Und es ist nie empfehlenswert, maßgebliche Persönlichkeiten zu verärgern.

»Auf Ihre Verantwortung, Herr Konradi«, sagte Wachtmeister Behrens schließlich und wiederholte: »Auf Ihre Verantwortung . . .«

»Auf meine Verantwortung«, nickte Heinz Konradi zuversichtlich. »Er wird uns schon nicht fressen.«

Das Fachwerkhaus des Bürgermeisters lag nicht weit von der alten romanischen Kirche und war eines der schönsten und größten des Dorfes Marktstett. Eine breite Steintreppe führte hinauf zur Eingangstür. Ein großer, mit Schnitzereien verzierter Balkon lief an der Vorderseite des stattlichen Gebäudes entlang.

Hinter diesem Balkon lag das Schlafzimmer des Bürgermeisters.

Bürgermeister und ähnliche Würdenträger haben einen leisen Schlaf. Das mag vielleicht daher kommen, daß die Sorge um das Amt sie wach hält, es kann aber auch sein, daß sie zeit ihres Lebens ein gewisses Schuldgefühl nicht loswerden. Wer im Brennpunkt der Öffentlichkeit steht, ist in den Augen der angeblich Übergangenen stets schuldig.

So wachte auch der Bürgermeister von Marktstett mit einer lobenswerten Schnelligkeit auf, als Josef Behrens mit seiner Diensttaschenlampe zum Schlafzimmerfenster des Dorfvorstehers hinaufleuchtete und dessen Namen rief. Das Fenster ging auf, ein verschlafener Mann beugte sich weit heraus und vernahm mit Erstaunen, daß ein Mädchen von 24 Jahren abgängig war und gewisse Spuren nach Marktstett führten. Daß die Abgängige zudem noch eine Lehrerin war, also eine Beamtin, verschärfte den Tatbestand ungemein und weitete ihn aus zu einem alarmierenden Fall.

»Herbert Sanke?« grübelte der Bürgermeister am Fenster. »Herbert Sanke kenne ich keinen. Ich kenne nur einen Paul Sanke . . .«

»Den suchen wir!« rief Heinz Konradi.

»Den?« Die Stimme des Bürgermeisters wurde abwehrend. »Machen Sie sich nicht lächerlich! Dieser Mann entführt keine Mädchen! Mit dem spiele ich Skat!«

»Es dreht sich ja um seinen Sohn. Den hoffen wir über ihn zu finden.«

»Soll das dieser Herbert Sanke sein?«

»Ja.«

Der Bürgermeister verstummte. Zweifel nagten an ihm, denen er schließlich Ausdruck verlieh, indem er sagte: »Das glaube ich nicht.«

»Was glauben Sie nicht?«

»Daß Paul Sanke einen Verbrecher in die Welt gesetzt hat.«

»Das wird sich ja herausstellen, ob ja oder nein. Sagen Sie uns nur, wo wir ihn finden.«

Es blieb wieder ein Weilchen still, bis sich der Bürgermeister entschied und sagte: »Also gut, fragen Sie ihn. Er ist Verwalter auf dem Mierbach-Gut. Wachtmeister Behrens wird Sie hinführen. Es ist nicht weit.«

Elisabeth und Heinz Konradi atmeten auf. Es freute sich aber auch Josef Behrens. Er sah, daß er für Marktstett unentbehrlich war.

»Auf denn zur lezten Station unseres Leidensweges«, sagte Heinz Konradi und faßte seine Frau unter. »Nun werden wir ja sehen . . .«

Und Elisabeth Konradi klammerte sich anlehnungsbedürftig an ihren Mann.

Das Mierbach-Gut gehörte zu den großen Anwesen Marktstetts. Vorn, zur Straße hin, lag in einem breiten Vorgarten das Herrenhaus; ihm schlossen sich rückwärts das Gesindehaus, die Ställe und die Scheunen mit den Geräteschuppen an. Das Gut machte einen gepflegten, sauberen Eindruck. Eine energische, zielbewußte und arbeitsame Hand führte hier das Kommando, das sah man.

Josef Behrens war sich nicht ganz im klaren, wie er aus dem schlafenden Haus den Verwalter Paul Sanke herausholen sollte. Schließlich ist es das Recht eines unbescholtenen und steuerzahlenden Bürgers, seine Nachtruhe ungestört zu genießen. Ein Mann, der mit dem Bürgermeister Skat spielt, ist mit Vorsicht zu genießen, dachte der Wachtmeister.

Doch ihm wurde rasch die Entscheidung abgenommen. Heinz Konradi hatte kühn die erstbeste Klingel gedrückt und hielt den Daumen eine Zeitlang darauf. Schrill gellte es durch das ganze schlafende Haus.

Auch hier wurde nach einiger Zeit ein Fenster geöffnet und eine junge Frau, das Nachthemd über dem üppigen Busen zusammenraffend, fragte verschlafen, was man wolle.

»Wir möchten Herrn Sanke sprechen!« rief Behrens in dienstlichem Ton hinauf. »Polizei!«

»Polizei? O Gott!«

Das Fenster klappte zu. Rasche Schritte entfernten sich ins Innere des Hauses.

Die Spannung war aufs äußerste gestiegen. Elisabeth hing am Arm ihres Mannes, ihr Puls klopfte ihr im Hals. Vergessen waren die brennenden Fußsohlen und die stechenden Blasen an den Hacken. Jetzt . . . jetzt mußte es sich herausstellen, jetzt fiel die

Entscheidung.

Elisabeth schloß die Augen.

Wie lange braucht der Kerl denn, dachte sie, wie lange sollen wir denn hier noch stehen?

Durch den Flur des Hauses tappten schwere Schritte. Ein Schlüssel drehte sich im Schloß, die Tür wurde aufgezogen, und im Licht der Flurlampe stand – Herbert Sanke.

Doch nein! Dieser Mann war kleiner, zierlicher, älter . . . aber sonst wie ein Spiegelbild. Heinz Konradi trat einen Schritt vor und nannte seinen Namen.

»Sie entschuldigen bitte die Störung, Herr Sanke«, setzte er hinzu. »Aber ich möchte nur eine Frage stellen: Ist Ihr Sohn bei Ihnen?«

»Mein Sohn?« Die tiefe Stimme klang gedehnt, erstaunt, fragend. »Nein.«

»Nicht?«

»Nein. Was ist mit meinem Sohn?« Ehrliche Sorge zeichnete sich in Paul Sankes Gesicht ab. »Was ist passiert? Warum bringen Sie die Polizei mit?«

»Seit drei Stunden suchen wir Sie. Zu Fuß sind wir von Ebbenrath durch die Nacht nach Marktstett gelaufen. Wir haben die Polizei alarmiert und den Bürgermeister aus dem Bett gescheucht. Meine Schwägerin Brigitte ist seit halb elf gestern abend spurlos verschwunden . . . mit Ihrem Sohn.«

»Mit meinem Sohn?« Paul Sanke trat etwas zurück und schien plötzlich nicht mehr besorgt, sondern vergnügt. Er blickte Konradi an, als ob er ihn fragen wolle, ob er verrückt sei. Dabei sagte er: »Und Sie suchen die beiden, laufen nach Marktstett, alarmieren die Polizei, den Bürgermeister – und alles nur, weil mein Sohn mit Ihrer Brigitte . . .« Paul Sanke brach ab, lachte auf, laut, schallend, es dröhnte durch das stille Haus. »Verzeihen Sie, das nenne ich einen Witz, ich kann nicht anders. Wie alt ist denn Ihre

Schwägerin?«

»Vierundzwanzig.«

»Und warum suchen Sie sie dann wie eine Vierzehnjährige?«

Statt einer Antwort blickte Heinz Konradi stumm seine Frau an. Allerhand lag in diesem Blick.

Dann wandte sich Heinz wieder dem Verwalter zu. Er fühlte, daß er die unglückliche Rolle, die seine Frau ihm aufgezwungen hatte, zu Ende spielen mußte.

Mit Würde zu Ende spielen mußte.

»Sie nehmen also an, daß Ihr Sohn jetzt noch mit meiner Schwägerin zusammen ist?«

»Was denn sonst? Nachdem beide noch verschwunden sind, werden Sie sicher auch noch zusammen sein.«

»Und wo?«

Paul Sanke grinste schon wieder. Er zuckte mit den Schultern. »Das weiß ich leider nicht. Aber gewisse Vorstellungen hätte ich schon . . .«

»Welche?« fiel Elisabeth Konradi ein. Sie fühlte sich auf den Plan gerufen. Ihr Ton klang spitz.

Paul Sanke räusperte sich, blieb aber stumm. Was sollte er auch sagen? Diese Dame hier schien ihm kein einfacher Fall zu sein.

»Welche?« wiederholte Elisabeth. Sie ließ nicht locker.

»Gnädige Frau«, sagte nun Paul Sanke in der Art eines Kavaliers der alten Schule, »es gibt Dinge, die lassen sich schwer ausdrücken . . . vielleicht würde sich darin Ihr Herr Gemahl leichter tun . . .«

Schau dir dieses Schlitzohr an, dachte Heinz amüsiert, wie der den Ball an mich abgibt; aber er hat ja recht, hier muß nun endlich ein deutliches Wort gesprochen werden. Und er tat dies, indem er sagte: »Woran nicht mehr länger gezweifelt werden kann, ist, daß Fräulein Brigitte Borgfeldt mit Herrn Herbert Sanke im Bett liegt. Das meint Herr Paul Sanke, meine liebe Elisabeth.«

Ein unheilbarer Fall war zu konstatieren. »Du weißt genau«, antwortete Elisabeth Konradi ihrem Gatten eisig, »daß meine Schwester das nicht tut.«

Grußlos verließ sie mit raschen Schritten das Terrain des Mierbach-Gutes. Paul Sanke blickte ihr verdutzt nach, Heinz Konradi und Wachtmeister Behrens hatten Mühe, ihr zu folgen.

Der Arbeiteromnibus um sechs Uhr brachte Heinz und Elisabeth wieder zurück nach Ebbenrath.

Josef Behrens erhielt als Entschuldigung für die verlorene Nachtruhe eine Flasche Branntwein versprochen (die er am nächsten Tag auch prompt in Ebbenrath abholte); die Vermißtenanzeige in Ebbenrath bei der Polizei wurde zurückgezogen.

Erschöpft, wortlos, bleich und sanft ging Elisabeth ins Bett, nachdem sie ihre Füße gebadet und die Fersen verpflastert hatte. Heinz Konradi blieb auf, um Brigitte und Herbert Sanke zu erwarten.

Er machte dabei einen kurzen Überschlag:

Siebeneinhalb Stunden fehlender Schlaf.

Zweieinhalb Stunden nächtlicher Marsch nach Marktstett.

Grundlose Belästigung eines todmüden Polizeibeamten in Ebbenrath.

Grundlose Belästigung der Besitzerin des Gasthofs »Zur Post« in Marktstett.

Grundlose Belästigung und Inanspruchnahme des Wachtmeisters Josef Behrens.

Grundlose Belästigung des Bürgermeisters von Marktstett.

Grundlose Belästigung des Verwalters Paul Sanke und unhaltbare Verdächtigungen gegenüber seinem Sohn.

Strapaziöse Inanspruchnahme Anny von Borckens und Erich Kiels.

Überhaupt, wo befanden sich Erich und Anny? Bis halb sieben

waren sie in Ebbenrath noch nicht wieder eingetroffen. Heinz Konradi lief es kalt den Rücken hinunter. Die würden ihm auch noch etwas erzählen.

Was ging denn noch alles auf sein Konto?

Großer Gott, er war ein blamierter, lächerlich gewordener, verrückter Mann!

Alle Ebbenrather und Marktstettener würden sich über ihn lustig machen.

Heinz Konradi saß in seinem Sessel und brütete vor sich hin. Er brachte es noch nicht fertig, auch ins Bett zu gehen, wie seine Frau. Die macht sich's leicht, dachte er erbittert.

Er saß noch immer da, als um sieben Uhr Brigitte Borgfeldt und Herbert Sanke eintraten. Mit Entsetzen hörten sie, was in der Nacht geschehen war.

»Mein Gott!« stammelte Sanke. »Polizei, Bürgermeister, mein Vater, Anruf im Krankenhaus, nachts zu Fuß nach Marktstett, das ist ja Wahnsinn. Und ich bin schuld an allem, mit meiner Bitte, daß mich Brigitte noch ein paar Schritte begleiten soll. Was soll ich dazu sagen? Ich weiß es nicht.«

»Mensch«, stieß Heinz Konradi hervor, »sagen Sie mir nur eines: Wo habt ihr die ganze Zeit gesteckt?«

Herbert blickte Brigitte an, sie blickte ihn an. Daraus ging wohl hervor, daß die Antwort nicht so einfach war.

»Zuerst«, begann dann Herbert, »standen wir an der Brücke. Als es anfing zu regnen, suchten wir in einem Lokal unterzukommen. Aber alle hatten schon zu. Da haben wir uns in den Bahnhofswartesaal gesetzt.«

»Die ganze Nacht?«

»Nein. Nach dem Regen sind wir über die Promenade gewandert.«

»Sehr schön. In der Zwischenzeit stand ich an der Brücke und wartete auf euch.«

»Wir hatten uns so viel zu erzählen, Herr Konradi, ich kann Sie nur bitten, uns zu verzeihen.«

Heinz wandte sich an Brigitte: »Deine Schwester hat durchgedreht, buchstäblich.«

Brigitte sah zerknirscht zu Boden. »Das tut mir leid.«

»Aber«, fuhr Heinz fort, »sie wird nicht zögern, zu glauben, daß ihr euch wirklich die ganze Nacht nur erzählt habt . . .«

Mit der Zerknirschung Brigittes war es vorbei. Sie blickte auf und antwortete: »Damit willst du wohl sagen, daß du durchaus zögerst, das zu glauben?«

»Ich?«

»Ja, du!«

»Also gut, damit du zufrieden bist, auch ich zögere nicht, das zu glauben.«

»Das ist dein Glück. Ich hätte nicht mehr mit dir gesprochen.«

Herbert Sanke machte sich bemerkbar. Er räusperte sich und sagte: »Ja, dann werde ich mich wohl verabschieden. Es wird ja auch Zeit, daß wir alle ins Bett kommen.«

»Wohin wollen Sie denn?« fragte ihn Heinz.

»Nach Marktstett zu meinem Vater.«

»Grüßen Sie ihn von mir. Es hat mich gefreut, ihn kennenzulernen.«

Um acht Uhr trafen auch Anny von Borcken und Erich Kiel mit Bebsy ein. Sie sahen übernächtigt und sehr verfroren aus und hielten sich untergefaßt.

»Wo habt ihr gesteckt, was habt ihr gemacht?« rief ihnen Heinz entgegen.

Erich blickte Anny an, sie blickte ihn an.

»Wir haben uns erzählt«, sagte Erich.

Heinz blickte empor zur Zimmerdecke. Anny fragte ihn: »Was guckst du?«

»Ich suche die Balken, meine Liebe.«

»Welche Balken?«

»Die sich hier nun bald biegen müssen.«

Vier Wochen später feierte man im Hause Konradi eine Doppel-verlobung. Hoch ging es her, die Paare turtelten auf Teufel komm raus, und die Rede Heinz Konradis wäre es wert gewesen, in ein entsprechendes Bühnenstück aufgenommen zu werden.

Lediglich eines war ungewöhnlich: Die Paare wurden nicht be-schenkt.

Dafür aber hatten die Verlobten sich zu einem Geschenk zu-sammengetan, das sie um Mitternacht in feierlicher Form der Hausfrau überreichten. Elisabeth Konradi war teils gerührt, teils etwas verlegen.

Das Präsent war eine bemalte Kachel, kunstvoll beschrieben und mit Szenen illustriert. In der Mitte stand in großen goldenen Lettern zwischen zwei Dörfern jener Satz, den man mit Fug und Recht geradezu als »Glaubens«-Satz bezeichnen konnte:

Meine Schwester tut das nicht!

Es wird gemunkelt, daß das erste Kind der Konradis mit dieser Nacht zu tun hat.

Vier Wochen voraus war diesem Kind aber sogar noch der Nachwuchs, den das junge Paar Herbert und Brigitte Sanke, nachdem bald geheiratet worden war, zu verzeichnen hatte.

»Da muß ich doch mal nachrechnen«, sagte Heinz Konradi, der Zyniker, zu seiner Frau.

Diese aber wollte davon nichts wissen.

Leseprobe

Konsalik, wie man ihn kennt.
Lebensnah. Vital. Packend.

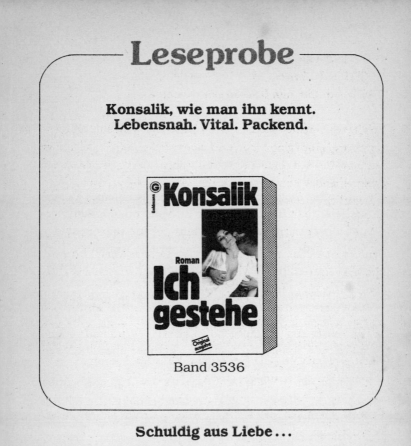

Band 3536

Schuldig aus Liebe...

Bei der Feier ihrer Promotion lernt Gisèle Parnasse den erfolgreichen Chirurgen Dr. Gaston Rablais kennen. Sie wird Narkoseärztin in seiner Klinik und – verliebt sich in den talentierten Mann.

Dr. Gaston Rablais erwidert ihre Gefühle. Doch da versucht auch Gisèles Schwester Brigit, Gaston für sich zu gewinnen. Zunächst ohne Erfolg. Zwischen Gisèle und Gaston aber keimt Mißtrauen und Argwohn auf. Von Tag zu Tag wird das Verhältnis der Liebenden gespannter. Und schließlich führt Gisèles Eifersucht zu einer Katastrophe...

Während ich diese Zeilen schreibe, müßte ich eigentlich traurig sein.

Ich sitze allein an der steinernen Balustrade des kleinen Cafés »Riborette« und schaue über die bunten Badezelte und die flatternden Wimpel hinweg, die man über den weiten, in der Sonne flimmernden weißen Strand von Juan les Pins gespannt hat. Das tintenblaue Wasser des Mittelmeeres klatscht träge an den Ufersteinen empor, und die Palmen, Pinien, Zypressen und Maulbeerbäume entlang der breiten Straße und im Garten des Cafés »Riborette« sind ein wenig verstaubt, so still ist der Wind und so heiß brennt die Sonne, als leuchte sie herüber über das Meer, direkt aus der afrikanischen Wüste.

Ich bin allein, allein mit meinen Gedanken und meiner Sehnsucht, allein auch mit meinem Schmerz, den ich mir selbst zufügte und den ich doch nicht verhindern konnte.

Gaston hat mich verlassen.

Es ist ein kleiner Satz, und wie oft hört man ihn aus dem Munde eines unglücklichen Mädchens. Manchmal heißt er Paul oder François, Erich oder Peter, Julien oder Pablo . . . Und immer wird dieses Mädchen zu Boden blicken und seine Augen werden weinen, wenn es sagt: Er hat mich verlassen.

Ich weine nicht und sehe nicht zu Boden, ich starre nur über das träge Meer und trinke ein kleines Glas Orangeade, denn im Innern bin ich froh, daß alles so gekommen und Gaston gegangen ist; gestern abend, nachdem er groß und schlank vor mir stand und sagte: »Ma chère, ich gehe nach New Orleans. Übermorgen fährt mein Schiff ab Genua . . .«

Nach New Orleans! Und ich habe nichts gesagt, ich habe nur genickt und mich umgedreht und bin in mein Zimmer gegangen. Eine gute Lösung, habe ich mir gedacht, die beste Lösung nach allem, was zwischen uns geschehen ist. Aber im Innern, im Herzen, dort, wo ich glaubte, immer die Liebe zu fesseln, tat es weh, so weh, daß ich die Zähne zusammenbiß, um nicht doch zu weinen wie all die Mädchen, zu denen ein Mann sagt: »Übermorgen geht unser Leben für immer auseinander.«

Wie das alles gekommen ist? Warum es so sein mußte? Warum es keinen anderen Ausweg gab als die Trennung, diese Flucht nach New Orleans?

Ach, es ist eine lange Geschichte, und wenn ich sie hier erzähle, so ist es mehr die Beichte einer Frau, die nur nehmen wollte, die immer nur forderte, die unersättlich war in dem, was Leben heißt und die schließlich daran zerbrach, weil ihr das Maß aller Dinge verloren ging in einem Taumel von Glück und Erfüllung, von dem sie dachte, *das* sei das wahre Leben, das wert sei, gelebt und geliebt zu werden.

So ehrlich bin ich – wirklich –, ich erkenne mich, als blicke mir im Spiegel nicht mein glattes, schönes Ebenbild entgegen, sondern der Mensch, zerlegt wie auf dem marmornen Seziertisch des Hospitals Necker in Paris. Ein Mensch, nicht nur bestehend aus Muskeln, Knochen, Häuten, Venen, Arterien und Drüsen, sondern ein Mensch, der in geheimnisvoller Art in seinen Nerven noch die Seele trägt und sie jetzt bloßlegt vor den Augen der staunenden und entsetzten Vivisektoren.

Gaston – wer ihn kannte, mußte ihn lieben. Dieser Dr. Gaston Rablais, Chirurg aus Paris, Erster Oberarzt bei Prof. Dr. Bocchanini, war ein Mann.

Hier könnte ich eigentlich aufhören, weitere Dinge in Worte zu kleiden. Was gibt es Umfassenderes, Deutlicheres und Bestimmenderes als dieses Wort Mann? Es schließt ein ganzes Leben ein, es ist ein Wort des Schicksals, es kann Himmel und Hölle bedeuten, Freude und Leid, Glück und Entsetzen, Liebe und Haß, Seligkeit und Trauer. Alles, alles ist in diesem Wort verborgen, quillt aus ihm hervor wie die Wundergaben aus dem Füllhorn der Aurora ... Ach, welch ein Wort, welch eine ganze Welt: Mann!

Mir wurde es zum Verhängnis, dieses Wort, weil es Dr. Gaston Rablais verkörperte mit all dem hinreißenden und willenlos machenden Charme, dem wir Frauen erliegen, kaum, daß er unser Bewußtsein trifft und uns innerlich zittern und erbeben läßt.

Seine Augen, die kleinen Fältchen in den Augenwinkeln, die schmalen Lippen vor dem herrischen Mund, die etwas gebogene, schmale Nase in diesem braunen, manchmal asketisch wirkenden Gesicht, dessen heftigster und schönster Ausdruck seine Augen waren, diese braunen, großen, strahlenden Augen, die mich ansahen und unter denen ich wegschmolz und willenlos wurde.

Bis gestern. Gestern abend, als er in den Salon des Hotels trat und zu mir sagte: »Ich fahre.« Da waren seine Augen kein Geheimnis mehr, da verloren sie die Kraft der Suggestion auf mich, da sah ich ihn anders, den großen, schönen Gaston. Er war ein Mann wie alle anderen, vielleicht ein wenig eleganter, gepflegter, weltgewandter, sicherer. Aber im Grunde genommen doch nur ein Mann, der feige war und in dem Augenblick, in dem er sagte: »Ich gehe«, auch ein Mann, der es nicht wagte, mich anzusehen.

Warum sollte er mich auch ansehen? Ich war an diesem Abend eine Erinnerung geworden. Ich für ihn, er für mich. Er fuhr über den Atlantik nach New Orleans. Ich blieb zurück in Europa, im alten, verträumten, verliebten Paris. Und Schuld? Bekannte er sich schuldig? War nicht auch ich Teilhaberin eines Schicksals, das ich selbst herausgefordert hatte, als ich Gaston der kleinen Brigit vorstellte?

Brigit wird nun mit Gaston nach New Orleans fahren. Vielleicht heiraten sie drüben in Amerika. Vielleicht aber auch nicht, und Brigit wird seine Geliebte bleiben, wie ich sie einmal war.

Brigit . . . meine Schwester . . .

Die Sonne brennt noch immer. Das Meer ist blau wie flüssiges Kobalt. Unter mir, auf der breiten Straße, flutet der Verkehr dahin. Blitzende Wagen, schöne Frauen, elegante Männer. Der Ober bringt mir eine neue Orangeade. Ich nickte dankend und sah dabei, wie mich ein Herr drei Tische weiter beobachtet. In seinem Blick lag eine fast tierische Bewunderung, ein Abtasten und gedankliches Nehmen, eine platonische Sexualität, die, wäre sie ein Ton, grell über Juan les Pins gellen würde. Er wird gleich aufstehen und versuchen, sich mir zu nähern. Ich sehe an seinen Blicken, wie es ihn treibt, wie die Natur in ihm ihn vorwärtstreiben wird, um zu versuchen, mich zu besitzen. Ach, wenn er wüßte, warum ich hier sitze und auf den Strand blicke, allein, verlassen, mit jener Wehmut, die manche Männer ansportnt, den selbstlosen Tröster bis hinter der Tür des Schlafzimmers zu spielen.

Männer! Wie sagte doch der englische Dichter Oscar Wilde: »Die launischste Geliebte ist – der Mann!«

Von der Terrasse des Hotels »Pacific« klingt die Teemusik über den Strand. Die Leute tanzen unter den aufgespannten Sonnensegeln wie auf dem Deck eines Schiffes.

Was wird Gaston jetzt machen? Wird er packen? Wird er, wie ich, in einem Café sitzen und auf den Strand blikken? Oder wird er Brigit in den Armen halten, die zarte, kleine Brigit mit den Mandelaugen und den schlanken, langen Schenkeln, über die jetzt vielleicht die Hand Gastons mit zitternder Liebkosung gleitet?

Ich stehe auf. Ich kann das nicht mehr ertragen! Die Sonne, die Menschen, die Tanzmusik, die geilen Augen des Mannes drei Tische weiter an der Balustrade.

Ich gehe.

Aber ich muß noch etwas sagen, bevor ich gehe. Ich habe gelogen, vorhin, als ich sagte, daß ich eigentlich froh, sehr froh wäre, daß alles so gekommen ist. Es ist nicht wahr, es ist eine plumpe Lüge. Ich bin sehr traurig, so traurig, wie es alle Mädchen in meiner Lage sind. Ich bin ja nicht anders als sie – ich habe auch geliebt, ich habe auch in seinen Armen gelegen, ich kann ihn nicht vergessen, auch wenn ich es wollte. Und ich werde Gaston vermissen – ich gestehe es ein –, ich werde mich an seine Liebe zurücksehnen und hungrig sein nach seinen Liebkosungen.

Und an diesem Hunger werde ich eingehen, weil niemand kommen wird, der ihn stillen kann; so stillen, wie es Gaston konnte ... bis gestern ...

Es ist wirklich schwer, gleichgültig zu sein, wenn man einen Mann verloren hat.

Die Romane
von Heinz G. Konsalik
bei C. Bertelsmann:

Agenten lieben gefährlich
Roman. 324 Seiten

Eine glückliche Ehe
Roman. 384 Seiten

Engel der Vergessenen
Roman. 464 Seiten

Das Haus der verlorenen Herzen
Roman. 382 Seiten

Im Tal der bittersüßen Träume
Roman. 398 Seiten

Sie waren Zehn
Roman. 608 Seiten

Eine angesehene Familie
Roman. 384 Seiten

Wie ein Hauch von Zauberblüten
Roman. 416 Seiten

Die Liebenden von Sotschi
Roman. 352 Seiten

Ein Kreuz in Sibirien
Roman. 352 Seiten

... und neu bei Blanvalet

Promenadendeck
Roman. 450 Seiten

KONSALIK

Seine großen Bestseller im Taschenbuch.

Der Himmel über Kasakstan
01/600-DM 6,80

Natascha
01/615-DM 7,80

Strafbataillon 999
01/633-DM 7,80

Dr. med. Erika Werner
01/667-DM 6,80

Liebe auf heißem Sand
01/717-DM 6,80

Liebesnächte in der Taiga
(Ungekürzte Neuausgabe)
01/729-DM 9,80

Der rostende Ruhm
01/740-DM 5,80

Entmündigt
01/776-DM 6,80

Zum Nachtisch wilde Früchte
01/788-DM 7,80

Der letzte Karpatenwolf
01/807-DM 6,80

Die Tochter des Teufels
01/827-DM 6,80

Der Arzt von Stalingrad
01/847-DM 6,80

Das geschenkte Gesicht
01/851-DM 6,80

Privatklinik
01/914-DM 5,80

Ich beantrage Todesstrafe
01/927-DM 4,80

Auf nassen Straßen
01/938-DM 5,80

Agenten lieben gefährlich
01/962-DM 6,80

Zerstörter Traum vom Ruhm
01/987-DM 4,80

Agenten kennen kein Pardon
01/999-DM 5,80

Der Mann, der sein Leben vergaß
01/5020-DM 5,80

Fronttheater
01/5030-DM 5,80

Der Wüstendoktor
01/5048-DM 5,80

Ein toter Taucher nimmt kein Gold
● 01/5053-DM 5,80

Die Drohung
01/5069-DM 6,80

Eine Urwaldgöttin darf nicht weinen
● 01/5080-DM 5,80

Viele Mütter heißen Anita
01/5086-DM 5,80

Wen die schwarze Göttin ruft
● 01/5105-DM 5,80

Ein Komet fällt vom Himmel
● 01/5119-DM 5,80

Straße in die Hölle
01/5145-DM 5,80

Ein Mann wie ein Erdbeben
01/5154-DM 6,80

Diagnose
01/5155-DM 6,80

Ein Sommer mit Danica
01/5168-DM 6,80

Aus dem Nichts ein neues Leben
01/5186-DM 5,80

Des Sieges bittere Tränen
01/5210-DM 6,80

Die Nacht des schwarzen Zaubers
● 01/5229-DM 5,80

Alarm! Das Weiberschiff
● 01/5231-DM 6,80

Bittersüßes 7. Jahr
01/5240-DM 5,80

Engel der Vergessenen
01/5251-DM 6,80

Die Verdammten der Taiga
01/5304-DM 6,80

Das Teufelsweib
01/5350-DM 5,80

Im Tal der bittersüßen Träume
01/5388-DM 6,80

Liebe ist stärker als der Tod
01/5436-DM 6,80

Haie an Bord
01/5490-DM 7,80

Niemand lebt von seinen Träumen
● 01/5561-DM 5,80

Das Doppelspiel
01/5621-DM 7,80

Die dunkle Seite des Ruhms
● 01/5702-DM 6,80

Das unanständige Foto
● 01/5751-DM 5,80

Der Gentleman
● 01/5796-DM 6,80

KONSALIK – Der Autor und sein Werk
● 01/5848-DM 6,80

Der pfeifende Mörder/ Der gläserne Sarg
2 Romane in einem Band.
01/5858-DM 6,80

Die Erbin
01/5919-DM 6,80

Die Fahrt nach Feuerland
● 01/5992-DM 6,80

Der verhängnisvolle Urlaub / Frauen verstehen mehr von Liebe
2 Romane in einem Band.
01/6054-DM 7,80

Glück muß man haben
01/6110-DM 6,80

Der Dschunkendoktor
● 01/6213-DM 6,80

Das Gift der alten Heimat
● 01/6294-DM 6,80

Das Mädchen und der Zauberer
● 01/6426-DM 6,80

Frauenbataillon
01/6503-DM 7,80

Heimaturlaub
01/6539-DM 7,80

Die Bank im Park / Das einsame Herz
2 Romane in einem Band.
● 01/6593-DM 5,80

Eine Sünde zuviel
01/6691-DM 6,80

Die schöne Rivalin
01/6732-DM 5,80

Der Geheimtip
01/6758-DM 6,80

● = Originalausgabe   Preisänderungen vorbehalten

KONSALIK
SIBIRISCHES
R🞉ULETTE

Roman, 552 Seiten, Ln., DM 38,–

Die Russen wollen mit einer
Natur-Manipulation Sibirien in die
Kornkammer Rußlands verwandeln.
Doch das könnte vor allem in Europa
ein Umwelt-Disaster auslösen. Viele
sind beunruhigt. Doch einer handelt.
Als „Spezialist" taucht er eines Tages
aus den Weiten der Steppe auf und
beginnt seinen Kampf. Er weiß, daß er
„Sibirisches Roulette" spielt.

ERSCHIENEN BEI HESTIA